Disney

ゆがめられた世界
Disney Twisted Tale

ジェン・カロニータ／著
池本　尚美／訳

Gakken

悩(なや)んでたことが　うそみたいね
だってもう自由よ　なんでもできる
どこまでやれるか
自分をためしたいの
そうよ　変わるのよ　わたし

ありのままで　空へ風にのって
ありのままで　とび出してみるの
二度と　涙(なみだ)は流さないわ

冷たく大地をつつみこみ
高く舞(ま)いあがる　想いえがいて
花咲く氷の結晶(けっしょう)のように
輝(かがや)いていたい　もう決めたの

これでいいの　自分を好きになって
これでいいの　自分信じて
光あびながら　歩き出そう
少しも寒くないわ

17 アナ

　そのとき、とつぜん、アナとクリストフの足もとで地響きがした。鳥の群れが頭上をさっと横切り、スヴェンが荒い鼻息をたてながら足をふみならし、リスの親子が早足で通りの向こうへ走っていく。だれかの叫び声が聞こえ、目の前をヘラジカが走りすぎていく。とうとうスヴェンが駆け出した。

「スヴェン！」クリストフがさけんだ。

　アナはクリストフといっしょにスヴェンを追いかけ、村の広場に着いた。すでに、おおぜいの人が、なにが起きたのかたしかめようと家や店から出てきていた。鳥や動物も森のあちこちからひっきりなしにすがたをあらわしている。

「なにが起きてるの？」アナがそうつぶやくあいだにも、地響きはますます大きくなっていく。

　太陽が雲にかくれ、冷たい風が木々に吹きつけて枝を大きくゆらす。

「見ろ！」とだれかがさけび、山の下のほうを指さした。

　アナの記憶にあるなかでもとびきりよく晴れた夏の日だというのに、フィヨルドが端から凍

りはじめていた。青い光が海面をおおい、フィヨルドに停泊していた船がかたむきながらつぎつぎと氷に閉じこめられていく。やがて氷は山すそにとどいたかと思うと、どんどん山を這いあがってきた。

「氷……」クリストフがつぶやいた。

なにが起きているのかはわからないけれど、とにかくここから逃げたほうがいい。アナはさけんだ。「早くみんなに知らせなきゃ。スヴェン！」

スヴェンがアナをめがけて駆けてくる。アナはスヴェンにとびのった。

「行け、スヴェン！　村じゅうを走るんだ！」クリストフがあとを追いかけながらいった。

「みんな、逃げて！」アナがさけぶあいだにも、青い光がどんどんせまり、そのすぐあとを氷が追いかけてくる。「みんな、家のなかに入って！」

ようやくクリストフがスヴェンに追いつき、アナの後ろにとびのった。

人びとが散り散りに逃げはじめた。風が強く吹きつけ、気温が急激にさがり、空一面が灰色の雲でおおわれていく。そのとき、ごうっと風がはげしく鳴りひびき、スヴェンがおどろいて足をとめたひょうしに、アナとクリストフは地面にふり落とされた。その頭上を青く光るもやがこえ、さらにその先へと流れていく。アナとクリストフがじたばたと立ちあがる足もとで、

地面がどんどん凍っていき、突風がふたりの頰をなぶり、空から雪が降ってくる。
クリストフと抱き合っていることに、アナは気づいていなかった。突風がやむのを待っていたら、雪まで降り出した。真夏なのにどうして？　胸の鼓動がはげしくなる。この王国でいったいなにが起きているの？

三日後。アナはなにが起きたのか、まだわからないままだった。

この三日のあいだ、アナはほとんどの時間、ひたすら窓の外を見つめていた。視界が閉ざされるほどの猛吹雪が続き、屋根も地面も雪でおおわれ、いたるところに雪の吹きだまりができている。つららがどんどん大きくなり、いまにも屋根から地面に落ちてくだけそうだ。

「家にいよう」と父はアナと母にいった。パン屋のドアの向こうでは吹雪がはげしく吹きあれている。「できるだけ長く火を絶やさないようにして、可能なかぎりパンを焼くんだ。食べ物が必要だからな。こんな天候がいつまで続くのかだれにもわからないだろう？」

暖炉では赤々と火が燃えていたが、家のなかはいままで経験したどの冬よりもずっと寒かった。

「父さんが、家畜を納屋に入れておいてくれたのは正解だったよ。それにしても、なんて寒い

んだろうね」母が腕をこすって体をあたためようとした。

アナは窓の外をじっと見つめた。通りにはだれもいない。どの家の戸口も雪にうもれている。いくら雪かきしても、あっという間に雪がうずたかく積もってしまうのだ。緊急時のために出口は確保しておいたほうがいいのだが、アナはこう考えずにはいられなかった。こんな吹雪のなか外に出たからといって、どこへ行けばいいの？　凍え死んでしまう。

「納屋はいま、うちの家畜とあの氷を運ぶ若者とトナカイとで、ぎゅうぎゅうづめになってるだろうね」

アナはふりかえった。「クリストフだったらだいじょうぶ。納屋で寝るのが好きみたいだから」と冗談をいう。

母はさぐるようにアナを見た。「あんたたちは、よく知ってる仲なのかい？」

アナは窓に向きなおり、顔が赤くなったのを見られないようにした。「それほどでもないけど。それより、クリストフもうちに来ればよかったのに」

「家に来るよう伝えたんだがな。トナカイとはなれたくないんだそうだ」父が暖炉に薪をくべた。薪は心細くなるほど少なくなっている。そろそろ外へ出て、枝を切ってこなければならない。

「わからない。どうして真夏にこんなに雪が降るの？」アナの直感が、この吹雪はなにかが、

あるいはだれかが引きおこしたのだと告げていた。「まさか、王国は呪われてるとか?」

父と母は顔を見合わせた。

「呪いなんてない。そうよね?」アナは両親を問いつめた。なぜだかわからないけれど、父と母はなにかをかくしている気がしていた。

そのとき、ドアをはげしくたたく音がして、父と母がふたたび顔を見合わせた。父が窓に駆けよって外を見た。「ゴーランとラルセンだ。早く、ふたりをなかに入れてやらないと!」

母がドアを開けると、雪と風がおそいかかるように吹きこんできて、アナはふたりの客がなかに入れるように必死でドアを押さえていないとならなかった。ふたりとも何枚も服を着こみ、帽子をかぶって手袋をはめ、マフラーを重ねているが、それでも寒さにふるえている。

ゴーランが口をおおっていたマフラーを外しながらいった。「雪はますます高く積もっている。このまま降りつづいたら、あっという間に屋根の上までとどいちまうぞ」

「まさか、いくらなんでも」母がゴーランにグロッグ[*1]の入ったカップを手わたしながらいった。

「そんなに雪が積もったことなんて、いままでなかったじゃないか」

ラルセンがけわしい顔でいった。「この王国は呪われてるんじゃないか」

「やっぱりそうなの?」アナがきくと、アナの両親は落ち着かない表情になった。

ラルセンが続けた。「氷がアレンデールから山を這いあがってきたのを見ただろう？　呪われているのでもなければ、どうして真夏にこんなに雪が降るのか説明がつかないじゃないか。エルサ王女の戴冠式でなにかあったんだ。まちがいない！」

ゴーランがうなずいた。「城から、王女はぶじなのか、なにが起きてるのか、だれも知らせにこないしな。こんな天候のせいで、王女が行方不明にでもなってしまったんじゃないか」

エルサ王女はこの王国の未来そのものだ。アナも王女に希望を託している。「王女はだいじょうぶよね、母さん？」

母は父を見ながらいった。「ああ、王女はだいじょうぶだろうよ。王国がこんな予想もしなかった猛吹雪に見舞われたせいで、やることがいろいろあっていそがしいんじゃないかね」

アナはもう一度、窓から外をながめた。あこがれのアレンデールに目を凝らしたが、山は一面氷でおおわれ、吹雪のせいで先まで見通せない。まるでアレンデールが消えてしまったかのようだ。

ゴーランが口を開いた。「なんで村になんの知らせも来ないんだ？　城はなにが起きたのか知らせるつもりがないんだろうか。いつまでもこんな状態に耐えられるわけがない。薪がなくなるのだって時間の問題だ。育てていた作物だって、いまごろは雪の下でだめになってしまっ

てるだろうし、これから来る冬に向けてなんの備えもできてない。まさかこんなことが起こるとは、だれも思っていなかったからな」

「あと、数週間もすれば、食べ物が底をついてしまうだろう」ラルセンが暗い顔でいった。「フィヨルドは一面凍っているようだし、助けを求めようにも船の出入りができない。馬だってこんな天候のなか長くは走れまい。おれたちはもうおしまいだ」

状況はアナが思っていたよりもずっと深刻だった。「父さん、だれかがアレンデールに行って、なにが起きてるのか、たしかめてきたほうがいいんじゃないかな」

父はアナの肩に手を置き、笑みを浮かべようとしたが、おせじにも笑っているようには見えなかった。「母さんがみんなにグロッグのお代わりをそそいでいるあいだ、店の作業場に行って、オーブンの火が尽きてないか見てきてくれないか」

「父さん――」といいかえそうとしたアナを、父はさえぎった。

「さあ、行くんだ」父はやさしい声でいった。「おまえはそんなことを心配しなくていい」

「父さんのいうことを聞くんだよ」母がいった。

アナはのろのろと店に向かった。ふりかえると、大人たちが暖炉のそばで話している声が小さく聞こえてきた。壁のすきまから入りこんでくる風の音とともに、薪がパチパチと燃える音

も耳にとどく。王国が呪われている。そんなことがほんとうにあるんだろうか。父さんも母さんもなにかを知っててかくしているような気がする。でも、ラルセンがいっていたように、この天候も、氷が山を這いあがってきたのも異常だ。こんな事態に遭遇したのは初めてだ。呪いはほんとうにあるのかもしれない。でも、だれが、それともなにが、王国をほろぼそうとしているんだろう。あとどれくらい、こんな状態に耐えられる？

きっと、それほど長くは耐えられない。

ひとつだけたしかなことがある。だれかがアレンデールに行って、少しでも早く解決策を見つけ出したほうがいい。

父さんは年齢からして、城まで行って助けを求めるのは無理だろう。ゴーランとラルセンも同じだ。山をおりることさえむずかしいかもしれない。こんな天候でも旅ができる人、氷のあつかいに慣れている人がいるだろうか……。

クリストフ。

もう一度、居間をふりかえる。パン屋に続くドアのそばに立っているアナに、だれも気づいていない。急いで二階にあがり、衣装だんすからいちばんあたたかい帽子とマントと手袋を出して身につけた。村を出る理由をメモに書く。きっと、このメモを見つけるのは、アナをさが

しにこの部屋に来たときになるだろう。

そのあと店に入ったが、大人たちは話に夢中で、アナが水やパンや野菜などの食べ物をかき集めたことにも気づかなかった。この王国の人たちを助けるという決意を胸に秘め、はげしい風に押しもどされそうになりながらもドアを開けた。なんて空気が冷たいんだろう、と衝撃を受けたが、階段の手すりや横だおしになった手押し車につかまりながら、納屋に向かってゆっくりと進んでいった。

納屋に着くと、クリストフはスヴェンやほかの動物たちのためにリュートを弾いていた。みんな小さなたき火のまわりに集まっている。クリストフはアナに気づくと、びっくりしてリュートを落とした。

「こんな吹雪のなか、なにしに来たんだ」クリストフがたずねた。

アナは歯をがちがちとふるわせ、体をあたためようと両手で両腕をこすりながら答えた。「アレンデールまで連れていってほしいの」

クリストフはため息をつき、リュートをひろいあげた。「おれは道案内はやらない」

「じゃあ言い方を変える」そういってアナは袋をクリストフに放った。袋が肩にぶつかる。

「おい！」クリストフは顔をしかめ、肩をさすった。

「ごめんなさい！」とアナはあやまったが、意見を曲げるつもりはなかったのでクリストフのほうへさらに一歩近づいた。「あたしをアレンデールへ連れていきなさい」

スヴェンが袋を鼻でつつき、クリストフが袋を開けた。なかにはニンジンとロープとピッケルなどが入っている。クリストフはアナをまじまじと見つめた。

「この季節外れの冬をとめる方法を見つけなきゃ。あなたも見たでしょ。アレンデールから氷が広がっていくのを。山をおりて、戴冠式でなにがあったのかたしかめないと。なんだか……魔法が関係しているような気がするの」クリストフはそう聞いても笑わなかったので、アナは続けた。「なにが起きてるのかたしかめて、この王国を守る方法を見つけ出さなきゃ」

クリストフは毛糸の帽子を目深にかぶりなおした。「じゃあ、夜明けに出発だ」

アナは馬房にかかっていた馬用の毛布をつかむと、クリストフに向かって投げつけた。クリストフの顔に命中する。

「あっ、ごめん！　ごめんね！　わざとじゃないの……」せきばらいをして気をとりなおす。むだにできる時間なんてない。「いますぐ出発よ。さあ早く」

とうとうアレンデールに行くのだ。こんな形で行くことになるとは思っていなかったけれど、とにかく行くことに変わりはない。アナはエルサ王女と凍った城に思いを馳せた。アレン

デールでだれかがあたしをさがしている。直感がそう告げていた。なぜだか、アナにはそれがわかった。

＊1　あたためた赤ワインに、アーモンド、レーズン、シナモンなどを加えたホットワイン

18 エルサ

　エルサの心のなかは、まわりを舞いとぶ雪と同じくらいはげしく、さまざまな感情が渦巻いていた。一歩ふみ出すごとに足もとの水がガラスのようにかたく凍っていき、そのままフィヨルドを駆けぬけた。森へ入り、奥へ奥へと走りつづける。速く、もっと速く。城からも、村からも、わたしがゆいいつ知っていた人生からもずっとはなれたところへわたしを運んで、と足に語りかけながら。やがて空に月が浮かんだ。

　アナは生きている。

　なんとしてでも、アナを見つけ出したい。

　冷たい風が紫のマントをはためかせ、視界をさえぎった。マントを手ではらいのけ、前を見つめる。ここがどこなのかはわからなかったが、そんなことはかまわなかった。走りつづければ、だれも追ってこられない。突風が横から吹きつけ、よろけそうになる。耳もとでうなる風の音はまるで吠えたてる人の声のようだ。

〝怪物だ！　王女は怪物だ！〟

ウェーゼルトン公爵の言葉が頭のなかで鳴りひびく。今日は戴冠式で、女王の座につくはずだった。けれど、みんなに魔法の力のことを知られてしまい、こうして城から逃げている。いまや王国は、厚い氷と深い雪におおわれている。氷も雪もぜんぶわたしがつくり出したのだ。でも、これほどのことができるなんて。自分が魔法の力で氷や雪をつくり出せることは知っていた。けれど、天候まで変えられるものなの？　そう考えると畏れと不安が同時に押しよせた。いまは真夏だ。だれも雪の備えなどしていないにちがいない。みんなどうしているだろう。おびえているだろうか。

赤ちゃんをかばって遠ざけた女の人も脳裏に浮かぶ。怪物……。真実を知られてしまったいま、みんなにそう思われているのだろうか。短剣のような氷の杭が、目の前につき出てきたときのピーターセン卿の顔もよみがえる。ハンスも、わたしの手が青い光につつまれて指先から氷が出てきたとき、同じように声を失っていた。わたしのことをきかれたウェーゼルトン公爵がどう答えるかも、ありありと想像できる。だれもがそれを聞いて、それがわたしの正体だと思うだろう。ほんとうのわたしを知っている人なんてひとりもいない。

でも、アナは？

そのとき、ふと気づいた。アナは自分がアレンデールの王女で、姉がいると知っているのだ

ろうか。それとも、わたしみたいになにも知らされていない？　そもそも、なぜアナの存在は秘密にされているのだろう。お父さまもお母さまも、わたしにアナの存在を知ってほしいと思っていたのはまちがいない。そうでなければ、あの鍵のついた箱に絵と手紙をかくさなかったはずだ。なぜ、わたしとアナは引きはなされてしまったの？

どうしてあの手紙を置いてきてしまったのだろう。それにオラフ！　オラフがだれかに見つかってしまったらどうしよう。そう考えると、胸の鼓動がはげしくなり、青い光が指先にあらわれた。手をふって、力が出ないように集中する。だめよ！　力の思うようにはさせない。

オラフを助け出し、手紙をふたたび手もとにもどすには、城に帰るしか方法はない。城があると思うほうに目を向ける。目を開けていられないほどの猛吹雪のせいで、視界がかすんでよく見えない。城にもどるにしても、たどりつけるかどうかわからない。

それに……ウェーゼルトン公爵は、わたしを怪物と呼んだ。ピーターセン卿や王国のほかの顧問まで公爵と同じ意見だったら？　帰ったとしても牢獄に入れられてしまうにちがいない。王位もうばわれ、アナをさがすことなどできなくなってしまう。

深呼吸して。そう自分にいいきかせると、指先の青い光がすっと消えた。

オラフは身をかくすプロといっていい。この三年間、だれかが呼びにきたときに備えて、部

屋のなかにかくれるための場所をいくつもつくってきた。だから、もし部屋の外からだれかの声が聞こえたら、オラフはさっとどこかにかくれるにちがいない。それに、両親が亡くなってから、だれもわたしの部屋には入っていないのだから、これからだって、だれも部屋を見ようとはしないと祈るしかない。オラフが部屋の外のさわぎを聞いて、手紙をどこかにかくしてくれていたらいいのだけれど……。いろいろなことが落ち着いたら、オラフを助けにもどろう。わたしが決して見捨てたりしないことを、オラフならわかってくれているはずだ。残る心配は置いてきてしまった手紙……。

　考えるのよ、エルサ。手紙になにが書いてあったか思い出すの。あのときはとても興奮していたし、きちんと読んでいる時間がなくて、アナが生きていることを証明する言葉をさがして手紙にさっと目を走らせただけだった。でも、目にとまった言葉はいくつかある。トロールについてなにか書いてあった。トロールのことならわかる。よみがえった記憶のなかには、おおぜいのトロールが出てきたし、その長老はパビーと呼ばれていた。お父さまとお母さまとアナとわたしの四人で馬にのって川をわたり、山をのぼってたどりついたどこかにパビーはいた。いま視線のずっと先に、山が堂々とそびえている。あの山のどこかにパビーはいるはずよ！はるか遠くに、ノースマウンテンの岩肌が大きくおぼろげに見える。夏なのに山頂にはところ

どころ雪が積もっている。あの山にのぼろうとする人はほとんどいないだろう。つまり、だれかに追われる心配はないということだ。あの山は、いってみれば孤独の王国。わたしはそこの女王みたいなもの。トロールを見つけ出すか、足が動かなくなるまで進んでいこう。疲れなんてちっとも感じない。少しも寒くないわ。

二日間、雪に足をとられながら歩きつづけ、とうとうノースマウンテンのふもとに着いた。まさかほんとうにやりとげられるなんて、自分でも信じられないくらいだ。でも、いざたどりつくと、もっと大きな問題に直面した。寒さは気にならないとはいえ、山の岩肌がむきだしになっているところをのぼるための道具をなにももっていない。でも、ほんとうにそう？

こんなところまで来れば、だれかに見られる心配はないだろう。大自然の真ん中では魔法の力をかくす必要なんかない。ずっと部屋に閉じこもり、だれにも魔法の力を知られないようにしてきたけれど、もう、自由に魔法を使えるのだ。いままでこっそり練習してきたかいがある。山をのぼるには、なにをつくり出せばいい？

両手を見おろした。片手にだけ手袋をつけている。長いあいだ、魔法の力をかくすために手袋をはめてきた。でも、もう手ばなしてもいいときだ。手袋を外し、空に投げあげると、手袋

は風に舞いながらとんでいった。これでやっと自由になれる。
片手をかかげて意識を集中させると、大きな雪片が指先からあらわれ、渦を巻いて舞いあがった。もう片方の手もかかげ、指先からとんでいく雪片を見つめる。胸の鼓動がどんどん速くなっていくのを感じながら同じことを繰りかえしているうちに、自然に顔がほころんだ。可能性は無限大だ。ここでは思うぞんぶん力を使って、自分になにができるかためすことができる。
青い光につつまれた腕をまわしながら、結晶が粉々にくだけちって雪になるところを思いうかべる。もっとすごいことだってできるはずよ。山腹に向かって氷を放ちながら考えつづける。ほかになにができる？ なんでも。思いついたことすべて！ わたしは生きている、とこれほど実感できたのは初めてだ。
空中に雪を放ちながら、さらにノースマウンテンに近づくと、足をとめた。峡谷だ。深さは三十メートルはあるだろう。マントが風にあおられ、視界をさえぎる。こんな風の強い場所では、マントはなんの役にも立たない。マントをとめていたブローチを外して放りなげると、マントは風にのり薄闇に消えて見えなくなった。どうすればこの峡谷をこえられる？ 幅は十メートルくらいありそうだ。とびこえるのは無理だろう。でも、この力を使えばいい。なんの心配がいる？

長いあいだ、だれにも知られてはいけない、とこの力をおそれてきた。でも、よみがえった記憶のなかで、お母さまは力のことを、天からの贈り物と呼んでいた。いまなら、なぜそう呼んでくれたのかわかるかもしれない。この二本の手で、これからわたしがつくり出すものを見れば！　アナのために城に冬のおとぎの国をつくれたのなら、山頂に氷の宮殿だってつくれるかもしれない。おそれてはだめ、と自分にいいきかせ、峡谷の向こうとこちらを結ぶ橋を思いうかべる。いや、いっそ山頂まで続く階段をつくったらどうだろう。

アナが信じてくれたように自分の力を信じれば、なんだってできるはず。

深く息をすい、少し後ろにさがってかまえると、思い切り駆け出した。階段、と念じながら両手を前につき出すなり、氷の段が空中につぎつぎとあらわれた。立ちどまり、おそるおそるいちばん下の段に足をのせてみる。だいじょうぶ、とても頑丈だ。氷の階段を駆けあがりながら、両手を前につき出し、山頂までのびる段をつくりつづける。いまや心と指先が完璧に調和し、この瞬間にほしいと思うものを寸分たがわずつくり出していた。

とうとうノースマウンテンの山頂に着いた。トロールのすがたはなかったが、薄暗いなか、ここからながめる景色は息をのむほど美しい。こんな高いところまでのぼってきたことがある人はほとんどいないにちがいない。けれど、わたしはいま、そんな王国ぜんたいを見おろせる

ほど高い場所にいて、アレンデールははるか遠くにあり、とても小さく見える。トロールはいなかったけれど、ここは英気を養い、アナをさがし出す方法を考えるのにぴったりの場所だ。ここからの景色に負けないくらいすばらしい宮殿を建てよう。新しく生まれかわったわたしにふさわしい宮殿を。そして、そこでしばらくひっそりと暮らすのだ。わたしの力を天からの贈り物と呼んでくれたお母さまの言葉を信じるのよ。それに、こんな山の上だったら、もう力をかくす必要なんてない。

雪の上にタンと足をふみ出すと、足もとに大きな雪の結晶ができて広がった。雪の結晶はどんどん大きくなり、やがて宮殿の土台ができあがった。つぎに、空中に立ちのぼる城を想像すると、思いえがいたとおりに氷の建物がぐんぐんのびていった。前のように、ぎざぎざとがった短剣みたいな氷の杭が出てきたりはしなかった。目の前につぎつぎとあらわれる柱やアーチ形の入り口は装飾が美しく、アレンデール城に引けをとらずすばらしい。建物のなかも、新しい住まいにふさわしく思いつくかぎりすみずみまでととのえていき、屋根もつくった。そして、最後に大きな雪の結晶を出すと、それはとびきりきらびやかなシャンデリアにすがたを変えた。

自分がつくり出した建物のなかに立ちながら、なにかやり残しているような気がしていた。新しい暮らしのために宮殿をつくったが、自分の外見はなにも変えていない。まず、きつく結っ

た髪を引っぱり、顔のまわりに少しおくれ毛を出した。つぎに、うなじでまとめていた髪をほどき、一本の豊かな三つ編みを背中に垂らした。これで終わりじゃない。戴冠式用のドレスは重くてずっと着心地が悪かった。このドレスも新しいものに変えよう。もっと軽くて自由に動けるものがいい。自分の個性と体型に合うドレスを思いうかべながら両手をひと振りすると、青緑色のドレスのすそがきらきらと輝き出して青い光が上にあがっていき、あっという間にクリスタルブルーのロングドレスに変わった。ちくちくする高い襟と、腕を動かしづらくしていた長い袖はなくなっている。新しいドレスはオフショルダーで首のまわりはすっきりし、シルクの袖はゆったりと腕をつつんでいる。透きとおる素材の軽いマントには雪の結晶があしらってあり、いまのわたしにふさわしい。雪こそわたしそのものだ。

すべてをやり終えたころには、山の尾根から太陽がのぼりはじめていた。バルコニーに出て、目の前に広がる壮大な冬の王国を満足げにながめる。

アナはきっとここを気に入ってくれるわ。

あとはもう、アナを見つければいいだけだ。

雪と氷の世界を見わたしながら、思いをめぐらせた。パピーとトロールたちはどこにいるのだろう。ノースマウンテンの頂上にいないのなら、いったいどこにいる？　バルコニーの氷の

手すりを指でトントンとたたきながら、記憶を呼びおこす。トロールを見つけるために、お父さまとお母さまとアナと山に入っていったあの夜、お父さまは地図をにぎりしめていた。

思い出すのよ、エルサ。お父さまはなにをさがしていた？　どこへ向かっていた？　そういえば……谷だったかもしれない。

〈リヴィング・ロックの谷〉！　お母さまの手紙にそう書いてあった。その谷にパピーはいるにちがいない。ノースマウンテンにたどり着くまでにかかった時間から推測すると、〈リヴィング・ロックの谷〉までは、ここから歩いて一日はかかりそうだし、山をおりなければならないだろう。口からあくびがもれた。もう何日も寝ていない。少し眠ったほうがいい。そして目が覚めたら、新たな旅に出かけよう。妹を見つけ出すための旅へ。

19

アナ

「わあ、とってもすてきなそりね！」アナはそりにのってクリストフの横に腰かけると、思わず声をあげた。

クリストフのそりは、アナの父のものよりはるかにすばらしかった。つやのある濃い茶色の木材でできていて、側面は赤い線で縁どってあり、その内側にあるベージュの三角形のもようは、まるで歯がならんでいるようだ。うっかりよごしてしまったらクリストフが怒るのはまちがいない。アナが座席の後ろの荷台にぽーんと荷物を放ると、クリストフの赤茶色のリュートのとなりに落ちた。そのとなりには、クリストフの荷物と登山用の道具が置いてある。

「おい、気をつけろ！」クリストフが大声を出した。「もうちょっとでリュートを壊すところだったぞ」

「ごめん！」アナは顔をしかめた。「リュートまでもってきてると思わなかったからつい。でも、これからしばらくは、リュートを弾く時間なんてないと思うけど」

クリストフはアナをじろりと見た。「おれのリュートを、おれのそりに置いてなにが悪い。

ここには、おれとスヴェンの持ち物をすべて積んであるんだ。それに、このそりはやっと代金を支払いおえたばかりなんだから乱暴にあつかってもらっちゃこまる」

「わかった、ごめん」アナはふてくされた顔でいった。クリストフとなにか話さなくちゃ、と思っただけなのに。だって、なんで納屋を借りてばかりできちんと家に住まないの？なんていきなりきくわけにいかないじゃない。

アナは指を組んでひざの上にのせた。家をぬけ出す前に手袋をしてきてほんとうによかった。

ああ、でもどうしよう。なんの許可も得ず、だまって家を出てきちゃった。だけど、王国を救うためだ。父さんも母さんもきっと理解してくれる……といいのだけれど。

とはいえ、自分の娘が、ほとんど赤の他人といっていい氷の配達人とハーモン村を出たと知って、父さんと母さんが大よろこびするわけがない。

あたしったら、いったいなにを考えていたんだろう？

村を一度も出たことのない女の子が、異常な真夏の吹雪から王国を救うなんて、ほんとにできると思ってるの？

でも、心の命じるままにしたがっただけだ。アレンデールでだれかがあたしをさがしている。直感がそう告げていた。それか、あんまり雪がたくさん降ったせいで、頭がどうかしてしまっ

たかのどちらかだ。

　そりが雪のこぶにぶつかってゆれて、アナはクリストフにどんっとぶつかった。一瞬、目が合い、頰がかっとほてって、あわてて目をそらす。アナはまたぶつからないよう、おしりをずらした。

「しっかりつかまってろ！」クリストフが手綱をぴしっと鳴らし、前を見つめながらいった。「おれもスヴェンもがんがんとばすのが好きなんだ」

　がんがんとばしてもらえるなら、こっちも大助かり。少しでも早くアレンデールに行き、どうしてこんな猛吹雪になったのか原因をつきとめ、父さんと母さんが心配しはじめる前にハーモン村にもどらなくちゃいけないんだから……。あたしったらなにいってるんだろう。もうとっくに心配してるに決まってるじゃない。

　落ち着いて、アナ。これからやろうとしてることに集中して、そりでの旅を楽しむの。やっと村を出られたんだから！

　アナはそりの前の部分に両足をのせた。「あたしもがんがんとばすの大好き」

「おいっ、おいおいおい！」クリストフはアナのブーツをつついた。「足をおろせ。ラッカー[*2]をぬったばかりなんだ。まったく、行儀が悪いな。納屋で育ったのか？」と文句をいいながら

そりにつばをはき、アナが足をのせた部分を手袋でふく。クリストフのつばがアナの顔にとんで目に入った。

アナは手袋で顔をふいた。「ちがう。パン屋で育ったの。あなたは？」

「おれは、ここからそう遠くないところで育った」クリストフが前方に注意を向けながらいった。「油断するな。いつオオカミがおそってくるかわからないんだ」

アナは小さくため息をついた。クリストフったら、自分のことはあくまでも話さないつもりなのね。

これじゃ、まったくの他人と旅してるのと同じよ。

でも、このままずっと他人のままということもないか。大雪のなか、山をおりてアレンデールに着くまで、まだずいぶん時間がかかるだろうし。

つかれてくると、ふたりは納屋を見つけて泊まった。クリストフは、そこを借りていいか持ち主にたずねもしなかった（「こんな吹雪のなか、納屋にだれかいるかたしかめにくる人なんかいないだろう」といって）。そして、夜が明ける前に起きて、またそりを走らせた。アレンデールにだんだん近づいていた。その日の午後に、行く手についに城が見えると、アナは胸がいっぱいになって、なにも話すことができなかった。アレンデールは思いえがいていたとおりの場

所だった。雪と氷におおわれていても城は堂々とそびえ、そのまわりをかこむ村はハーモン村より十倍は広い。

「うわ、フィヨルドを見てみろ」クリストフが指さした。

いくつもの船が横だおしになったまま凍ったフィヨルドに閉じこめられている。雪にうもれ、まるで船の墓場のようだ。村も薄気味悪かった。こんな天候のせいか、昼間なのに人っ子ひとりいない。あちこちにある旗ざおについたランプも、金色のエルサ王女の横顔のシルエットが描かれた紫と緑のストライプの旗も、すべて凍っている。

クリストフがいった。「城の前庭をさがそう。たぶんだれかいるだろうし、なにが起きているのか知っているはずだ」

「馬小屋のとなりにある精肉店の角を右に曲がって」アナの口から無意識に言葉が出た。

クリストフがびっくりしてアナを見た。「ここに来るのは初めてじゃなかったのか」

「初めてだけど……」なのに、なんであたしはどっちに行けばいいか知ってるんだろう？　背すじがぞくりとする。精肉店は真正面にあり、そのとなりに馬小屋が見える。アナにはなぜだか、その角を曲がれば城の前庭があるとわかった。

アナのいったとおりに進んでいくと、城の前庭に着いた。城門のそばに焚かれた大きなかが

り火のまわりに、おおぜいの人が集まっている。クリストフはそりからおりて、スヴェンにニンジンをあげた。

「あの人たちに、なにが起きてるのかきいてみよう」とアナはいい、スヴェンの背をやさしくなでた。「よくやったわね、スヴェン。少し休んでてちょうだい」スヴェンはそういってもらえてよろこんでいるようだった。

かがり火のそばにいる人たちに近づいていくと、緑色の制服すがたの衛兵たちが、列になっている村人たちに毛布やマントを配っているのが見えた。あたたかいグロッグの入ったカップを受けとれる場所を案内している衛兵もいる。アナはふと目をあげて思わず息をのんだ。噴水の水がカーブを描いたまま、落下するとちゅうで凍っている。美しいけれど、おそろしくもある。これまで、水がこんなふうに凍るのを見たことがなかった。噴水の真ん中には、氷におおわれた国王と王妃とおさないころの王女のブロンズ像がある。もっとよく見ようと噴水のへりから身をのり出したとき、だれかが大きな声で話すのが聞こえた。

「未来の女王がこの王国に呪いをかけたのだ！」

軍服を着たやせて背の低い、めがねをかけて白い口ひげを生やした男の人が、城の階段に立ち、目の前に集まっている人に話しかけている。

未来の女王？　呪い？　またこの言葉だ。アナは男の人の前に集まっている人たちの後ろに加わった。

「なぜ、エルサ王女がアレンデール王国の民を傷つけようとなさるのですか？」だれかがたずねると、まわりにいる人が、そうだそうだ、と小声でいってうなずいた。

「王女はそんなことはしない！」べつの男の人が割ってはいった。白髪まじりの黒い髪、背が高くて中年ぐらいのその人の顔は、背の低い男の人とちがってやさしそうだった。「みなさん、この王国の未来の女王は、決してみなさんを傷つけたりしません。王女を見つけ出し、この季節外れの冬を終わらせるために、いま手を尽くしているところです。この数日間いいつづけてきましたが、城は開けはなたれています。必要とあらば、だれでも入ってかまいません。食べ物も毛布もじゅうぶん用意してあります」

背の低い男の人がかみつくようにいった。「ピーターセン卿、ばかなまねはよせ！　そんなことをしてたら、あっという間に食べ物が尽きてしまうだろう。こんなおかしな天候がいつまでも続いたら、だれも生きのびることなどできまい！」

ピーターセン卿がいいかえした。「ウェーゼルトン公爵のいうことを聞いてはなりません。みなさん、冷静さを保ちましょう」

「これからいったいどうしたらいいんですか」赤ちゃんをマントでくるんで抱いている女の人がたずねた。「こんな天候じゃ、せっかく育てた野菜もみんなだめになってしまいます！」

村人のひとりがさけんだ。「冬の備えなんてだれもしてない。いまはほんとうは真夏なんだからな。冬に向けて食べ物の備蓄も始めてなかったんだ。すぐに夏にもどらなかったら、食べ物が足りなくなって冬をこせない」

公爵が得意げに笑みを浮かべた。「心配するでない！　サザンアイルズ王国のハンス王子がわれらを救ってくれるであろう」

人びとは公爵の言葉を信じていいのかわからない、というようすながらもぱらぱらと拍手をしたが、ピーターセン卿はなにかぶつぶつとつぶやいて公爵から目をそらした。アナは、ハンス王子という人がこの王国を救ってくれると聞いてうれしかった。でも、どうやって？　なにから救うの？　どうすればこんな天候を変えられるわけ？

「ちょっとおたずねしますけど、ハンス王子ってだれですか？」アナは大きな声できいた。

「いきなりなにをいい出すんだ」クリストフが小声で注意した。

「答えを聞きにいきましょ」アナはクリストフの手をつかんで引っぱりながら、人ごみをかきわけていき、城の階段の前に立った。

　公爵が乱暴な口調でいった。「知らんのか？　ハンス王子は、しばらくアレンデールに滞在しておってこの王国の事情にくわしい。事態を収束するために力を尽くす、とこころよく申し出てくれた。手おくれになる前に、あやつをとめねばならん」

「とめる？　だれを？」アナはたずねた。

　公爵はふんぞりかえった。「戴冠式のためにあれほど多くの人が集まったのに、そなたはその目で、あやつがしたことを見ておらんのか？　わしは危うく殺されるところだったのだぞ！」

「ごめんなさい、なにも見てないの。山をおりてきたばかりで。あたしの住んでる村はここからずいぶん遠いから」アナは、かすんでよく見えない山を指さした。「戴冠式のお祝いをしようと準備してたら、とつぜん、こんな天候になっちゃって。なにが起きてるんだろうって、あたしの村の人たちもみんな心配してるんです。それで、冬を終わらせる解決策をさがしにここに来たの。だから、だれのことを話してるのか教えて」

「王女だ！」公爵が子どものように足をふみならしながらいった。「王女は怪物だ！」

「王女？」とアナは繰りかえした。胸の鼓動が速くなり、どくんどくんと耳の奥で鳴りひびく。その瞬間、あたしが王女を見つけ出さなきゃ、という強い思いがわきあがってきた。なぜそう思ったのかは自分でもよくわからない。「どうしてエルサ王女があなたを傷つけようとす

るの？」

「傷つけようとはしていない」ピーターセン卿が口をはさんだ。「王女はだれも傷つけるつもりなどない。自分でもおどろいて逃げ出したが、もどってくるはずだ。この王国の民を決して見捨てるはずはない」そういって公爵をにらみつける。「未来の女王を怪物などと呼ぶのはやめていただきたい」

村人のひとりが大声をあげた。「だが、王女はフィヨルドを凍らせてしまったじゃないか。そのせいで、船の出入りができないんだ！」

「ここに閉じこめられたのは、王女のせいだぞ！」ほかのだれかがさけんだ。

「食べ物を手に入れられなくなってしまったら、どうやって家族を養っていったらいいの？」女の人が声を張りあげた。赤ちゃんがしゃくりあげる声も聞こえてくる。「王女の魔法のせいで王国じゅうが凍ってしまったのよ。この人たちが住んでる村まで同じ状態なら、もうどこにも逃げ場はないわ」

「おい、待ってくれ！」クリストフが割ってはいった。「未来の女王がこの吹雪を起こしたっていうのか？　いったいどうやって？」

「魔法だ！　黒魔術を使ったんだ！」公爵が怒りをぶちまけた。「邪悪な力をみんなに知られ

てしまったあと、フィヨルドを駆けて逃げ、この永遠の冬をつくり出したのだ。王女をとめねばならぬ！　ハンス王子が王女を追っていったから、冬を終わらせるよう説得してくれるだろう。逆らうようなら、おどすなりなんなりして、したがわせればよいのだ」

アナはたずねた。「王女は魔法の力をもってるの？　王女がこの雪と氷をつくり出したわけ？　まさか、信じられない！」

公爵がうたがわしげに目を細めてアナを見た。「そなたはだれだ？」

クリストフがすっとアナの前に移動して胸をそらせたが、アナはひじでクリストフを押しのけた。

アナはきっぱりといった。「あなたと同じくらい、この冬を終わらせたいと思ってる者よ。それと、王女をおどしても、この王国を救うことにはならないと思う」

公爵が意地の悪い笑みを浮かべた。「そなたのような小娘は、どこかあたたかい場所を見つけて、おとなしくハンス王子がもどってくるのを待っていればいいのだ。こんな天候では山にももどれまい。ますます気温がさがっておるしな。王女を見つけ出して、そのおろかなおこないをとめないかぎり、この冬は終わりはしないのだ」そういって公爵が城のなかにもどっていくと、人びとは散り散りになりはじめた。

「待って！」とアナは呼びかけたが、公爵はふりかえらなかった。アナは公爵をどうしても好きになれなかった。「そのハンスっていう王子は、王女を見つけられると思いますか？　ねえ待って！」去っていく人たちのあとを追ってきいてみたが、だれも答えてはくれなかった。しかたなくクリストフのところへもどると、そこに残っていたのはクリストフとピーターセン卿だけだった。「王女はわざとこの冬をつくり出したんじゃないと思う。いまごろ、とても心細く感じてるはずよ！」

ピーターセン卿が火の前で両手をこすり合わせながらいった。「それと、おびえているだろう。おそらく、王女は人びとがどんな反応をするのかおそれて、この力をずっとかくしていたにちがいない。そして、王女が心配していたとおり、魔法の力を知って、人びとはおそれおののいた。王女がもどってきてくれれば、どういうことか説明してもらえるだろうに……」ピーターセン卿は空を見あげた。その顔に雪が降りかかる。「手おくれになる前に、王女を見つけ出せればいいのだが」

アナはもう一度、氷におおわれた王家のブロンズ像を見つめた。「王女の魔法の力がつくり出したものは、なんてきれいなの」

火のそばに立っていたクリストフがいった。「季節外れの寒さに備えていた人もいるかもし

れないが、まさか、真夏にこんなに雪が降るとは、だれも想像すらしなかったんじゃないか」

「ああ、そうだろう」ピーターセン卿は両手をこすりつづけている。「ハンス王子が王女を見つけて城に帰るよう説得できればいいのだが。そうすれば夏にもどすことができるはずだ」

「王女がどこにいるか心あたりはあるんですか?」アナはたずねた。

ピーターセン卿がいった。「王女の行方はわからない。だが、フィヨルドをこえてノースマウンテンに向かったのを見たという人がおおぜいいる。それ以上遠くへは行ってないと思うのだが」両手で両腕をこする。「すまないが、そろそろ城のなかにもどるとするよ。帰路につく前に、グロッグでものんで体をあたためてくれ。きみたちが村に帰る前に、この天候がもとにもどることを願っているよ」

「村に帰る? でも……」アナはまだ村に帰るつもりはなかった。吹雪は魔法のせいで起きているとわかったいま、このままもどることなんてできない。王女を見つけ出して、冬を終わらせなきゃ。

アナには、王女がおびえる気持ちは理解できたが、ノースマウンテンに向かった理由はわからなかった。そこに、なにがあるんだろう? 背すじがぞくっとした。あたしは王女を助けることになる。城に近づくにつれ、なぜだかそう感じていた。直感が、城のなかに入れ、と告げ

ている。だけど、どうして？　みんなのいうとおりなら、エルサ王女はノースマウンテンに向かっているはずなのに。でも、明かりの灯った窓やアーチ形の入り口を見つめているうちに、なんだか城に引きよせられるような気がした。城のなかでなにかがあたしを待っている。

「グロッグをのむか？」クリストフの声で、アナはわれに返った。「とくにグロッグが好きなわけじゃないんだが、なにが起きているのか伝えるために、これからハーモン村にもどるなら、その前になにかしら腹に入れておいたほうがいいと思うんだ。それと、スヴェンにニンジンも食べさせてやらないと」アナは返事をせず、そのままクリストフの前を通りすぎていく。「おい！どこに行くんだ？」

　アナは城の階段をのぼり、入り口に向かった。衛兵のすがたはなく、ほかにも人影はない。城に入るとしたら、いまがチャンスだ。

「おい、おい、おい！」クリストフがあわててアナの前にまわりこんで立ちはだかった。「招待されてもないのに、城に入れるわけがないだろ！」

「招待されたようなものよ！　ピーターセン卿がさっきこういってたでしょ？　〝城は開けはなたれています。必要とあらば、だれでも入ってかまいません〟って」アナはクリストフが広げた腕の下をくぐり、階段をさらにのぼっていった。あたりにひと気はない。いまならだれに

も気づかれずに入りこめるはずだ。で、そのあとはどうする？　わからないけど、とにかく、なかに入らなきゃ。

「ピーターセン卿は、なにか助けが必要ならって意味でいったんだぜ」クリストフが階段の氷で足をすべらせながらいった。「グロッグは城の外にある。なかに入っていいなんていわれてない」

でも、あたしはなかに入らなきゃいけない。城に呼びかけられている気がするのだ。直感がそう告げていたけれど、それをクリストフにどう説明したらいいかわからない。「入り口に見張りはいない。まるでだれかがあたしたちに、城に入ってきてほしいと思ってるみたいじゃない？　少しのあいだだけよ。ここで見つけなきゃいけないものがあるの」

「アナ！」クリストフは追いつこうとあとをついてくる。

いちばん上の段まで来ると、アナは扉を開けた。なかに足をふみいれた瞬間、不思議ななつかしさにつつまれた。二階まで吹きぬけになっている玄関ホールの、アーチ形の高い天井を見あげる。中央の階段はとちゅうで左右に分かれ、それぞれ二階の踊り場につながっていて、どちらの階段の壁にも肖像画がかざってある。どうして、この場所をこんなになつかしく感じるんだろう。ここに来るのは初めてなのに。もう一度、階段を見あげたとき、とつぜん、ナイト

ドレスを着た赤毛の女の子が、くすくすと笑いながら裸足で階段を駆けおりてくるまぼろしが見えた。

アナはびっくりしてとびあがった。「いまの女の子はあたしよ」とつぶやき、階段へ駆けていく。

「上に行くんじゃない！　むちゃなことするな」クリストフはアナの腕をつかんだが、アナの顔に浮かんでいる表情を見てはっと息をのんだ。「どうしたんだ？」

まぼろしは消えていた。いまのは、どういうこと？　アナのひざががくりと折れた。

「うわっ！」クリストフはアナをかかえおこした。「いったいなんなんだ？」

「あたし……あたし……」アナはいま見たことをどうやって説明したらいいかわからなかった。きっと、頭がどうかしてしまったと思われてしまう。なにか手がかりをさがそうとあたりを見まわし、王家の肖像画に目をとめた。近づいていき、食いいるように見つめる。フレイヤ？　おどろきのあまり息をのんだ。王妃とフレイヤはうりふたつだった。こんなことってある？　肖像画にふれようと手をのばしたとき、目の奥に閃光が走って、ある場面が頭に浮かんだ。おさないころの自分が足をぶらぶらさせながら長椅子に腰かけていて、だれかが自分をモデルにして絵を描いている。「じっとしていてください」とその人物がこっちに向かっていう。

ひざが、がくがくとふるえ出した。

「だいじょうぶか？」クリストフがきいた。

「なぜだかわからないけど、前にもここに来たことがある気がするの」アナはへなへなとすわりこんでしまわないよう、クリストフの腕をつかんだ。

「前にも来たことがあるのか？」

アナはクリストフを見て、消えいるような声で答えた。「ううん、ない」

「もうここから出よう」クリストフが心配そうにいった。

アナは首を横にふった。「だめ。ここで見つけなきゃいけないものがあるの」クリストフの腕から手をはなし、階段をのぼって二階に向かう。今回は、クリストフもとめずに、だまってあとをついてくる。アナは窓の外で吹きすさぶ風の音を聞きながら、いくつもの扉がならぶ長い廊下を進んでいき、さらに上の階にあがった。しばらく歩いていき、ふと足をとめた。先のとがった氷の杭がずらりとならんで行く手をふさいでいる。

クリストフが氷の杭の先端にそっとふれた。「ここでなにがあったんだ？」

「きっと王女がやったのよ。ここから逃げ出そうとしたときに」アナはいった。でも、王女は、なににそんなにおびえていたの？　王女がつくり出した氷の杭はなんと説明したらいいのかわ

からない形をしていて、まるで彫刻のように美しい。こんなものを見たのは初めてだ。「知らなかった……冬がこんなにきれいだなんて」

「そうそう……ほんとにきれいだよねぇ」アナとクリストフの後ろから声がした。「だけどさ、真っ白だよぉ。ちょっとぐらい、色がついててもいいのにさ。そのほうが楽しそうだよねぇ」

アナとクリストフは後ろを向いた瞬間、おどろいてとびあがった。なんと、雪だるまが歩きながら話している。いちばん下の大きな雪玉にはちょこんとまるい足がふたつついていて、その上に少し小さな雪玉がのり、その上の卵のような形の頭にはニンジンの鼻がついていて、大きな口から前歯が一本のぞいている。頭の上で雪を降らせている雪雲が、雪だるまの動きに合わせてついてくる。

雪だるまはアナたちに近づきながらぺちゃくちゃとしゃべりつづけている。「真っ赤とか黄緑とかさぁ……それとも黄色？　あー、だめだめ。雪に黄色なんてぇ、きたなーい……だよね？」

雪だるまはアナを見て、目をぱちくりさせた。

アナはきゃーっと悲鳴をあげ、とっさに雪だるまの頭を蹴った。ぽーんととんだ頭をクリストフがキャッチする。

「やあ！」雪だるまの頭があいさつする。

「へんなやつ！」クリストフは雪だるまの頭をアナに放りなげた。

「やだ、いらないってば！」アナがクリストフに投げかえす。

「おれだって、いらないさ！」クリストフがまたアナに放りかえす。

「ぼくを落とさないでねぇ」という頭を、胴体が小枝の腕をふりながら追いかける。

アナはなんだか雪だるまに申しわけない気持ちになった。「ごめん。もう投げたりしない」

アナは手のなかの雪だるまの頭に話しかけた。こんなことってありえるの？

雪だるまの頭がいった。「気にしなくていいよぉ。ぼくたち、あんまりいいスタートを切ったとはいえないけどさぁ。ところで、ぼくをもとにもどしてくれる？」アナの横で胴体がしんぼう強く待っている。

これって、ほんとに雪だるまなのよね？　アナはそろりそろりと頭をもった手を胴体のほうにのばした。「うわっ、やだっ！」と思わずさけんで、胴体の上で頭をぱっとはなす。あわてて置いたので、頭が上下さかさまになっていた。

雪だるまはきょとんとした顔をしている。「あれれぇ？　なんでさかさまに見えるの？　どうしてきみたち、コウモリみたいに地面からぶらさがってるのぉ？」

アナは床にひざをついた。「すぐ直すから、ちょっと待ってて」頭をひっくりかえして、も

との位置にもどす。

「わあ！　ありがとう！　これでなにもかもカンペキ！」

ほんとにこれでなにもかも完璧？とアナは思った。真夏に雪が降りつづき、王女には氷をつくり出す魔法の力があって、あたしはいま、雪だるまに話しかけている。それに、アレンデール城にいると、前にもここに来たことがあるような気がしてくる。雪だるまをまじまじと見つめた。この雪だるまもどこかで見たことがあるような気がする。卵のような形の頭も、大きな前歯も、小枝でできた髪の毛もなんとなく見覚えがある。そうか、何度も夢に出てきた雪だるまだ！　あの雪だるまがきっかけで、雪だるまのクッキーをつくることになったのだ。でも、どうして？　この雪だるまには、いま初めて会ったはずなのに。呼吸がみだれはじめた。そんなアナをクリストフがけげんな顔で見つめている。

雪だるまがいった。「きみたちをこわがらせるつもりなんてなかったんだ！　じゃあ、最初からちゃんとやるね。やあ、みんな！　ぼくはオラフ。ぎゅーって抱きしめて」

アナは気持ちを落ち着かせようとした。「オラフ」と繰りかえす。あたし、この名前を知ってる。どうして？

「えっとぉ、きみは？」オラフはアナをじっと見つめた。

「あっ……あたしはアナ」

「アナ？　ほんとに？」オラフはあごをかいた。「ぼく、アナについてなにか知ってるはずなんだけど、それがなんなのかわからないんだぁ」

アナの胸の鼓動が速くなった。オラフに近づいていく。「あたしを……知ってる？」

「それで……きみは？」オラフはクリストフにたずねた。クリストフはオラフの胴体から小枝をぬき、しげしげとながめている。

「おもしろいな」クリストフは、オラフの胴体からはなれても動きつづける小枝の腕をにぎりながらぼそりといった。

「この人はクリストフ。ふたりでいっしょにここへ来たの」アナはオラフが動きまわるのを見つめた。エルサ王女が氷をつくり出せるなら、歩いて話せる雪だるまだってつくれるはずよね？

「ねえ、オラフ……エルサ王女があなたをつくったの？」

「うん、なんで？」オラフが答えた。

やっぱり！

「エルサ王女がどこにいるか知ってる？」アナは息を凝らして返事を待った。

「うん、なんで？」

アナの手のひらがじっとりと汗ばみはじめた。思ったとおり。オラフは王女の居場所を知っている。「エルサ王女がいるところに連れてってくれる？」

クリストフは小枝の腕を曲げたが、小枝はポキンと折れずにはねかえってもとにもどった。

「どうなってんだ？　これ」とつぶやいたクリストフの顔を、小枝がぴしゃりとたたく。

オラフはクリストフから小枝の腕をひったくり、自分の胴体につきさした。「もうっ、話のじゃまするな」アナに向きなおる。「うん、なんで？」

「おれが理由を教えてやる。エルサ王女に夏をとりもどしてほしいからだ」クリストフが答えた。

「夏！」オラフは息をはずませた。「ああ、なんでかわからないけど、ぼく、むかしからずーっと夏にあこがれてたんだよぉ。おひさまが光って、あっつあっつでぇ」

「まじか？」クリストフがふき出しそうになった。「暑さなんて、縁がなさそうだけどな」

「あるさぁ」オラフがいいかえした。「冬も、春も、夏も、秋も、何回もすごしてきたんだから。といっても、どの季節も、エルサの部屋の窓からながめてただけだけどさぁ」ため息をもらす。「ときどき、目をつぶって想像してみるんだよぉ。城の外で季節を感じるってどんなふうかなあって。せめてエルサの部屋から出るだけでもいいからさ。あっ、でもいまは部屋の外

に出ちゃってるか。とにかく、もうこれ以上待てないよ。エルサったら、ハンスと公爵がむかえにきた日からもどってこないんだ。だから、エルサをさがしに行きたかったんだよ」アナを見つめる。「エルサはアナをさがし出そうとしてたんだよ」

「あたしを？」思わずあとずさりしたアナは、クリストフとぶつかった。「だってあたしのことなんて知らないのに」心臓がとび出しそうなほど胸の鼓動がはげしくなる。目の奥に閃光が走ったかと思うと、頭のなかにまたさっきの場面がよみがえった。くすくすと笑いながら階段を駆けおりてくる赤毛の女の子。絵のモデルとして長椅子に腰かけているおさないころの自分。どっちもじっさいに経験したことなんてないのに。アレンデールに来たのも、この城に来たのも今日が初めてなんだから。でも、ここはなんだかとてもなつかしい。そしていま、オラフを見つけた。それは運命だったたっていう気がする。オラフがどうして、あたしを知ってると思っているのかはわからない。でも直感が、オラフは正しいと告げていた。

オラフがアナにたずねた。「ほんとにエルサはアナのことを知らないって思ってるの？」

「オラフ、エルサ王女に会えるよう手助けしてくれる？」アナはそういって手を差し出した。オラフがその手をとり、階段に向かって廊下をひょこひょこと歩き出す。「ほら来て！　エルサはあっちだよ。みんなで夏をとりもどしにいこーう！」

クリストフが首をふりながら、あとを追った。「しゃべる雪だるまのいうことを、本気で信じるつもりなのか」

アナはふりかえってクリストフを見た。「もちろん！　ハーモン村にはもどらない。王女を見つけ出して、この冬をとめるまでは」

クリストフはため息をもらした。「わかったよ。だが、スヴェンがなんていうかな」

アナは最後にもう一度、じっくりと城をながめた。また、ここにもどってくる気がしていた。自分がこんなことをするのは、冬をとめるためだけじゃなく、ほかにもなにか理由があるように思える。エルサ王女を見つければその答えがわかる、となにかが告げていた。

アナはエルサ王女をさがしにいくことに心をうばわれていたので、ウェーゼルトン公爵が暗がりにひそみ、ちぐはぐな三人組が城から去っていくのを見つめているのに気づかなかった。

＊2　塗料(とりょう)の一種。かわきが早く、美しいつやが出るので家具などにぬる

20 エルサ

エルサは妹を見つけ出す旅へ出発したものの、〈リヴィング・ロックの谷〉への行き方を知らないことに気づいた。よみがえった記憶のなかで、おさない自分は目印になるものを見ていなかったし、どんな道を通ったかも気にとめていなかった。まだほんの子どもだったのだ。それにいま、王国じゅうが真っ白な雪でおおわれ、進むべき道を見つけるのはいっそうむずかしくなっている。地図があればいいのに。でも、ふつうの地図に〈リヴィング・ロックの谷〉のような不思議な場所がのっているんだろうか……。

けれど、行き方を知る方法はある。山で暮らしていて、〈リヴィング・ロックの谷〉を知っていそうな人をさがし出すのだ。そんな人を少しでも早く見つけられるよう、魔法で氷のそりをつくり、山をくだった。森に入ると、魔法を使ってさらにスピードをあげ、遠くに煙突から煙が出ているのが見えたので、そこを目指して進んでいった。

たどりついたのは、ちっぽけな小屋だった。雪におおわれ、入り口にかけられた看板も雪でかくれている。短い階段をのぼり、看板をたたいて雪が落ちると、〈オーケンの店〉という文

字が見えた。ドアへ向かおうとして足をとめた。この格好のまま店に入ったら王女だと気づかれてしまうかもしれない。なにしろロングドレスを着ているのだ。手をひと振りするなり、フードつきの光沢のある紺青色のマントにつつまれた。フードを深くかぶって国じゅうによく知られた顔をかくし、店のなかに入っていく。

　細かい編みこみもようのセーターを着て、同じもようの帽子をかぶった男の人が、カウンターの向こうにすわっていた。たぶん店主のオーケンだろう。「フッフー！　夏物大セール！　水着にサンダルに、わたしが発明した日焼けオイルもぜーんぶ半額だ。冬物をおさがしならあいにくいまは品薄だが、いちおう冬物フロアに置いてあるよ」というと、オーケンは売り場の一画を指さした。雪用のブーツしか置いていない。

「ありがとう。でも、冬物なら間に合ってるわ」エルサは照明のとどかない暗がりに立って、ほのかな明かりに照らされた店内を見まわした。棚には、ピッケルや服や食料品などが、ところせましとならんでいる。「地図がほしいの。それと……〈リヴィング・ロックの谷〉への行き方を知っていたら教えてもらえないかしら」

　オーケンは青い目を見開いた。「もちろん、地図ならありますよ。ええ！　でも、そのなんとかっていう場所は聞いたことがない」そういって背後の棚に積まれた本の山をくずさないよ

う気をつけながら、大きな体をゆらしてせまいカウンターから出てくると、エルサの目の前に、大きな地図を広げてみせた。めぼしい場所をいくつか指さしていく。そのなかのひとつに岩場があり、そこはエルサが氷のそりをとめた場所のちょうど北西にあった。

オーケンがいった。「おさがしの場所が見つかるといいんだが。なにしろ、旅をするのにうってつけの天気とはいえないからね。こんな吹雪のなかを出歩いてるおかしな人は、お客さんくらいだよ。まったく七月なのにすごい猛吹雪だね！　この雪はどこから来たんだろう？」

「ノースマウンテンよ」エルサは無意識のうちにつぶやき、オーケンに硬貨をわたした。「地図をありがとう」そういって外に出ると、すぐにマントをぬぎすてた。

オーケンがいったとおり、猛吹雪といっていい天気だった。風はますます強さを増し、いまやいたるところが厚い氷でおおわれている。エルサはそりにのると、魔法を使ってスピードをあげた。川をわたり、〈リヴィング・ロックの谷〉だと目星をつけた岩場を見失わないよう、目を凝らしながら進んでいく。やがて、まわりの景色が変わりはじめ、雪におおわれた木々に代わって大きな岩が目につくようになった。この景色にはどことなく見覚えがある。そりをとめて木々の後ろにかくし、岩だらけの道を谷の入り口らしき場所に向かって進んでいった。近づくにつれ、ここがさがしていた場所にちがいないという確信が強まっていく。たどりついた

そこは、記憶のなかの谷とそっくりだった。広い空間のところどころにある間欠泉*3から湯気があがっている。王国じゅうに居すわっている冷気も、この深い谷には影響をあたえていないようだ。低く立ちこめる霧のせいではっきりとは見えないけれど、数えきれないほどたくさんの小さな岩がならんで奇妙な円を形づくっているのがわかる。近づけば近づくほど、呼吸が速くなっていく。よみがえった記憶のなかでは、父がトロールに呼びかけたとき、たしかこの岩が動いて転がってきた。

「だれかいませんか？」エルサの耳に、山にぶつかって谷間にこだまする自分の声が響く。「助けてほしいんです」岩が動く気配がないので、言い方を変えてみた。「パピー？　アレンデールの王女のエルサです。妹をさがしてるの」

すると、とつぜん岩がゆれ出し、こっちに向かってごろごろと転がってきた。思わずあとずさりしたエルサの足もとで、いちばん大きな岩がぴたりととまり、トロールにすがたを変えた。ほかの岩もつぎつぎとトロールに変わっていく。エルサにはすぐにわかった。この長い苔のマントをはおり、黄色い水晶の首飾りをつけているトロールこそ、会いたかったパピーにちがいない。

「パピーよね？」とエルサがきくと、パピーはうなずいた。「助けてほしくて、ここに来たの」

パピーはしわがれ声でいった。「エルサ王女。ひさしぶりだ」

エルサはパピーの大きな目を見つめた。「妹をさがしているんです。王国じゅうの人が妹の存在をわすれているみたいだけれど、わたしは思い出したの。戴冠式の日の朝、父と母とわたしと赤毛の女の子が描かれた肖像画を見たとき、記憶がわっとよみがえったのよ。すぐに、その女の子がアナだとわかったわ」

パピーはうなずいた。「そうか」

「アナとわたしがまだおさなかったころ、父と母は、あなたに助けを求めて、わたしたちをここに連れてきた」エルサの目から涙があふれ出る。「わたしの魔法の光がアナの頭にあたってしまったことは覚えてる。でも、わざとじゃないの」エルサは消えいるような声でいった。

「わかっているとも」パピーは両手を差し出した。エルサはパピーの前にひざをつき、その手をにぎった。ひんやりとして、がさがさした手だった。

「アナに、わたしの魔法のことをわすれてほしくなかっただけなのに、パピーの魔法をじゃましてしまったせいで、なにもかもめちゃくちゃにしてしまったのよね」エルサは声をつまらせながらいった。「そのせいで、妹と自分の力を失ってしまった」

「あれは大きな過ちだった」パピーがいった。

「わたしにまだ魔法の力があると気づいたのは、数年前よ。とつぜん、力がもどったの。父と母が亡くなったときに」あまりに悲しい記憶なので、エルサはいまでもまだ話すと胸が痛んだ。

「ご両親が亡くなったことは耳にしている。ほんとうに残念だ」とパビーがいうと、まわりにいるトロールたちもうなずいた。

「ええ。父と母のいない日々に耐えつづけるのは、ほんとうにつらかったわ。でも、妹がいるとわかって、また希望がもてたの」エルサの目から涙がこぼれおちる。「いまは、妹を見つけること以外、考えられない。お願い、わたしを助けて」

「エルサ、そなたの悲しみはよくわかる。だが、よく聞くのだ」とパビーがいうと、ほかのトロールたちが口をつぐんで、しんと静まりかえった。「妹を見つけようとしてはならぬ」

エルサはパビーの手をはなした。「どうして？」

「そなたたちを引きはなしている呪いは、このわしでさえ、じゅうぶんには理解できないものだ。そなたがアナを思い出したのなら、呪いはとけはじめているのだろう。だが、呪いが完全にとけるまでは、なにも手出しはできぬ」

呪い？　手出しはできぬ？　アナに会いたいだけなのに。「どういうことなのか、わからないわ」エルサは声をあげて泣き出した。「どんな呪いがかけられてしまったの？　どうして助

けてくれないの？　わたしに残された家族は、もうアナだけなのに」

パピーは深いため息をもらした。「できるものなら助けたい。だが、助けられないのだ。もう少ししんぼうするしかない」

「しんぼうする？　もう十年以上も離れ離れなのよ！」いまやエルサは泣きじゃくっていた。

「わたしにはアナしかいない。どうして会わせてくれないの？」

「これまでさぞかしつらかっただろう。おさないころのことは、どこまで思い出しておるのだ？」

「記憶の最後の場面は、わたしが手をのばして、パピーがアナの記憶を入れかえるのをとめようとしたところよ」エルサはパピーを見つめた。「最初は、わたしのせいでアナが死んでしまったと思ったの。でも、母が残してくれた手紙を見つけて、アナは生きているとわかった。けれど……アナの居場所も、わたしたちが離れ離れになった理由もわからないまま、城を去らなければならなくなったの」

パピーはふたたび両手を前に差し出した。「わしの力で残りの記憶を補えるやもしれぬ」そういって自分の額にふれ、空中に片手をすっとかざす。すると、指先からきらきらと光る青と白の小さな星の川が流れ出て渦を巻き、空中にある場面が映し出された。両親とアナとおさな

いころのエルサがいる。わたしが魔法でアナを傷つけてしまい、この谷にやってきた夜のことだ、とエルサはすぐに気づいた。

戴冠式の日に思い出した記憶と同じ場面が空中に映し出された。アナの記憶を入れかえようとしているパビーをとめるために、おさないころのエルサが手をのばしている。父と母がとめようとするが間に合わず、アナの額の上でおさないエルサの手とパビーの手が重なった瞬間、青い光がほとばしる。エルサの記憶はそこで終わっていたが、空中に映し出されている場面には続きがあった。

青い光が炸裂した衝撃で、パビーとおさないエルサが吹きとばされる。トロールたちはかくれる場所をさがして逃げまどい、父は身を盾にして母とアナを守っている。砂ぼこりがおさまると、母がアナをそっと寝かせ、気を失って地面に横たわっているおさないエルサに駆けよっていく。

「娘になにが起きたのだ?」父もそばに駆けつける。

エルサはつらくて思わず目をそらしそうになったが、空中に映し出される場面を見つめつづけた。

パビーが荒い息をしながら答える。「わしとエルサの魔法がつながったせいで、魔法に変化

が起きてしまったようだ」

「どういうことだ」父がたずねる。

そのとき、アナのつま先が凍り出した。足首からふくらはぎへじわじわと広がっていく。このままでは、アナの全身が凍りついてしまう。

エルサは恐怖におののきながらその場面に目を凝らしつづけた。

パピーがふりむき、父にさけぶ。「陛下、エルサを連れていくのだ！　石段の上のほうへ。早く！」

父がおさないエルサを抱きあげ、石段を駆けあがって谷の入り口へ向かっていく。母もアナの小さな体がじわじわと凍っていくのを見て駆けよるが、とめる手だてなどない。パピーでさえ、なすすべがないのだ。

鼓動がはげしく脈打つのを感じながら、エルサは空中に映る場面を見つづけた。

大混乱が巻きおこり、おびえて泣き出すトロールもいる。だが、アナの体からおさないエルサが遠のくにつれ、アナの凍った体がとけはじめる。母がアナを抱きかかえ、ほっとしたあまり小さな声で泣き出す。

母が声をあげる。「いま、アナになにが起きたのですか。説明してください。氷の魔法は、

あなたがといたはずでしょう？」

パビーはひざをついてアナの頭に両手を置き、アナから石段の上にいる、父に抱きかかえられているおさないエルサに視線をうつす。みんなが見まもるなか、石段をあがっていき、おさないエルサの頭にも両手をのせる。そして、母とアナのいる、石段にかこまれた中央の開けた場所へふたたびもどっていく。そのあいだ、谷はしんと静まりかえっている。

「パビーさま、どういうことですか」トロールのひとりがたずねる。

「どうやら呪いが生まれてしまったようだ」パビーがかすれた声でいう。

「呪い？　なぜそんなことが？」母がたずねる。

「わしとエルサの魔法がまじわったせいだ。ふたりは魔法で正反対のことをしようとした。わしはアナの記憶を入れかえようとし、エルサは記憶を守ろうとした。そのせいで、思いもよらぬことに呪いが生まれてしまったのだ」パビーは父と母の顔を交互に見つめる。「おそらく、エルサは自分に魔法の力があることをわすれているだろう」

「でも、また思い出すときが来るのですよね？」母がたずねる。

「いつかはな。だがいまは、エルサの魔法の力は妹を傷つけてしまった恐れにおおいかくされている。この不思議な呪いがとけるまで、エルサが魔法の力の使い方を思い出すことはないで

あろう」

「呪いはいつとけるのだ」父がたずねる。

パピーが重々しい表情で答える。「姉妹がおたがいをかってないほど必要としたときに」

「でも、いまだって、ふたりともおたがいを必要としています」母の声からは必死な思いが伝わってくる。

パピーがやさしい声でいう。「だが必要としているものが、いつも手に入るとはかぎらない。呪いがそう告げている。魔法とは予測不可能なものだ。とくに複数の力がまじわったときはな。呪いがあたえる影響は姉妹それぞれでちがうようだ。エルサは自分に魔法の力があることも、その使い方もわすれてしまう。アナはエルサの近くにいると凍りついてしまう。やがて氷は心臓まで達して、アナを死に追いやるだろう」

母の目から涙がこぼれ出る。「でもエルサだって、たとえ体になんの影響がなくても、妹の愛を失えば、悲しみで心がふさがれてしまうでしょう。アナといることは、エルサにとっていちばんのよろこびなのですから」

エルサは悲しみに顔をゆがめながら、空中に映し出される場面を見つめていた。ぜんぶわたしのせいだわ。わたしがパピーの魔法をとめようとしなければ、呪いが生まれることもなかっ

たのに。いまようやく、なぜふたりが引きはなされたのかわかった。わたしがそばにいると、アナは死んでしまうからよ。どうしてお父さまとお母さまは、こんなことをしたわたしを許してくれたのだろう。

「呪いをとく方法はないのか」父がかすれた声できく。

パビーはいったん空を見あげたあと、地面を見おろしながら答える。「わしにもわからぬ」母の泣き声が大きくなる。「だが希望はある。エルサの魔法の力は妹を傷つけてしまった恐れにおおいかくされているが、その恐れは時間とともに消える。それと同じようにこの呪いが永遠に続くことはない。やがて呪いはとけるであろう。姉妹がおたがいをかってないほど必要としたときに」

母が泣きはらした目でパビーを見つめる。「それはいつかまた、エルサとアナがいっしょにすごせる日が来るということですか」

「そうだ」パビーが頭上でゆらめくオーロラを見あげる。「これが、そなたたちの望む答えではないとわかっている。だが、姉妹がおたがいを思う気持ちは、どんな呪いにも打ち勝つことができるだろう」母が涙を流しながらほほえむ。「だがいまは、ふたりを引きはなさなければならぬ。この呪いがいつとけるか、だれにもわからないのだから」

草地に立っているトロールたちが、ひそひそと言葉を交わしはじめる。父と母は新たにつきつけられた現実をどうにかして受けとめようとしているようだが、とてもつらそうな表情をしている。

母がたずねる。「娘たちにどう説明すればいいのですか。離ればなれになるなんて、ふたりとも耐えられないわ」

父がパビーにいう。「エルサとアナはいつもいっしょにいたんだ。だから、ふたりとも引きはなされるのをいやがるはずだ」母のほうを向く。「城のなかのべつべつの場所で暮らさせるのはどうだろう」

母が首を横にふる。「だめよ。危険すぎる。ふたりとも自分たちが近づくとどうなるかなんて、まだきちんと理解できないわ。一瞬のすきをついて、とりかえしのつかないことが起きてしまうかもしれない。おさないこの子たちに、そんな責任を負わせるなんて無理よ」

父がうなずく。「そうだな。それに、アナがエルサの近くにいたら凍りついてしまうという秘密がもれたら、それを悪用しようとする敵があらわれるかもしれない。娘たちをそんな危険にさらすわけにはいかない」

「そうね」母の頬を涙が伝う。「どうすればいいの？」

パピーが悲しげに父を見て、母へ視線をうつす。「残念だが、城のべつべつの場所で暮らすのではじゅうぶんではない。それに陛下のいうとおり、エルサとアナの秘密をぜったい外にもらしてはならぬ。ふたりはこの王国の王位継承者なのだし、あまりにも危険が大きすぎる」

空中を見つめつづけるエルサには、パピーの言葉がどれほど重く両親にのしかかっているかわかった。

「でも、エルサもアナも、離れればなれの状態に耐えられるわけがないわ。わたしにはわかる。だって、ふたりともわたしの娘ですもの」母が訴える。

パピーがしばらく考えこんでから口を開く。「もしかしたら、力を貸せるかもしれない」そういって母を見る。「わしの魔法でできることもある。呪いがとけるまで、エルサかアナのどちらかの存在を王国じゅうからわすれさせるのだ。そなたたちふたりをのぞいてな。そうすれば、ふたりの身に危険がおよぶのをふせぐことができるだろう。さらに、エルサとアナからおたがいの記憶を消しされば、ふたりの繊細な心も守れる」母がおどろきに目をみはる。「呪いがとけるまでのしんぼうだ」パピーが安心させるようにいう。「わしがいまいった魔法をかければ、エルサもアナも目覚めたころにはおたがいのことをわすれているだろう」

エルサには、その表情から、母がパピーの言葉を理解し、受けいれたことがわかった。

母がアナと石段の上にいるおさないエルサを交互に見る。「なんて残酷なのかしら。でも、ほかに選択肢はないのよね」父のほうを向く。「けれど、こうすれば、あなたとわたしがかかえることになる秘密をあの子たちには背負わせないですむわ」

パピーが悲しげに母を見る。「そうだな。とてもつらいだろうが」

母がすっと背すじをのばして父を見る。唇はふるえ、目から涙がこぼれおちる。「呪いがとけるまで、パピーに魔法をかけてもらいましょう。そして、この子たちのどちらかが安全に暮らせる場所を見つけなくてはならないわ。これしか方法はないもの」

父も母と同じくらいつらそうな表情を浮かべている。「だが、エルサとアナのどちらを城に残すか、どうやって決めればよいのだ」

トロールのなかには、国王と王妃の悲しみを思って泣き出す者もいる。

空中に浮かぶ場面を見つめるエルサの頬にも涙が伝って落ちた。エルサには両親の苦しみが痛いほどよくわかった。

母が口を開く。「エルサを城に残しましょう。エルサはつぎの王位継承者ですもの。それに、あの子の力は、ひとりでコントロールするには強すぎるわ」いまや父も涙を流している。「アグナル、これしか方法はないとあなたもわかっているはずよ。エルサが魔法の力を思い出した

とき、わたしたちがそばにいて、あの子が自分の力を理解するのを助けてあげないと」

父がうなずき、ふるえる声でいう。「そうだな。だったら、アナはどこへあずけよう？」

パビーが母に問いかける。「わが子のようにアナを育ててくれる、信頼のできる者を知っておるか」

母が嗚咽をこらえながら声をしぼり出す。「ええ。命をあずけられるほど信頼できる友人がいます。でも、娘を育ててほしいだなんて、あまりにも無理なお願いかもしれないわ」

「娘を愛する気持ちから出た願いだ。無理なことなどありはしない。そなたたちの不安をやわらげるためにも、アナを安全な場所にあずけねばならぬ」パビーが母を見る。「魔法をかけたあとは、アナがほんとうはこの国の王女であることを覚えているのは、そなたたちとアナの養父母だけになる。いつでも好きなときにアナと会ってかまわぬが、呪いがとけるまで、父と母として会うことはできぬ」

父と母が石段の上と下で見つめ合う。ふたりの頬に涙が流れている。父がパビーのほうを向く。「ふたりの娘を守るために、必要なことはすべてやってくれ」顔をゆがめ、いいよどみながらもこう続ける。「エルサから自分に妹がいる記憶を、アナからこれまでの記憶をすべて消してくれ……そして、王国じゅうの人びとからアナの記憶を消すのだ」

空中に映し出される場面を見つめながら、エルサは父と母が必死の思いで決意したのがわかったが、同時に父と母と同じ痛みも感じていた。わたしがパビーの魔法のじゃまさえしなかったら……。

パビーが目を閉じて両手を空に向かってあげるなり、空中に雲のようなものがふたつあらわれた。それぞれの雲には、べつべつの人生を歩んでいるアナとエルサが映し出されている。パビーがそのひとつをまるめてアナの額に押しつける。そして、石段をのぼっていき、エルサにも同じことを繰りかえす。さらに、真っ白な光が谷間をゆれながら走っていき、やがてアレンデール王国のすみずみにまで広がり消えていった。

「これで終わった。わしからの贈り物だ。未来を見せてあげよう」

パビーがふたたび両手を空に向かってあげ、さっきとはべつの雲が空中にふたつあらわれる。片方では、アナが村の広場で子どもたちといっしょに楽しそうに遊んでいる。もう片方では、エルサが図書室で父と勉強をしている。ふたりいっしょにはいないが、どちらも笑みを浮かべて、とても健康そうだ。母も父も悲しみをこらえ、なんとかほほえもうとしている。

「しかるべき時が来れば、エルサもアナもおたがいを思い出し、ともにすごすことになるだろう」パビーは力強くいった。

空中に映し出された記憶はそこで終わった。パビーは記憶にふれて手のなかでまるめると、それを自分の額に押しもどし、やさしい声でこういった。「なぜ、アナをさがすのが危険なのか、これでわかったであろう」

「でも、わたしはアナを思い出したわ」エルサは声を大きくした。「それって、呪いがとけたということでしょう？」

パビーは首を横にふった。「呪いがとけはじめたのはまちがいない。だが、呪いが完全にとけたのなら、そなただけでなく、王国じゅうの人がアナを思い出すはずだ」

エルサの心はしずんだ。パビーのいうとおり。アナの存在を知っているのは、まだわたししかいない。オラフもいちおういるけれど、オラフの記憶はあまりたよりにならない。こみあげてくる涙を必死にこらえる。「アナがわたしのことを思い出してないって、どうしてわかるの？いまこの瞬間、アナだってわたしをさがしているかもしれないのに」

パビーはエルサの手をにぎった。「わしにはわかる。そなただって、ほんとうはわかっているのだろう。いいか、エルサ、落ち着くのだ。わしには谷のはるか向こうまで見通すことができる。恐れがそなたの魔法にどんな影響をもたらしているかもわかっている。いまや王国じゅ

うが永遠の冬に閉ざされてしまった」

「そうしたくてしたんじゃない。どうやったらもとにもどせるかわからないのよ」エルサは弱々しい声でいった。

パビーはエルサをはげますようにいった。「じきにわかるときがくる。力をコントロールすることに集中しなさい。心安らぐときがかならずおとずれる。呪いが弱まっているのはまちがいない！　そなたは過去の記憶をとりもどしはじめている。じきにアナも思い出すだろう。だが、それまでは、アナに近づいてはならぬ。アナの命は、そなたにかかっているのだから」

エルサは谷の外へ続く道に目をやった。岩の向こうは吹雪が白く渦巻いているだろう。

アナを見つけ出せば、すべてを変えられると思っていたけれど、それはまちがいだった。この数日間、たったひとりの家族を見つけようと全力でがんばってきた。でも、いまはもうそれすらできない。わたしがアナに近づけば、アナは凍りついてしまうのだから。

けっきょく、わたしはひとりぼっちになる運命なのかもしれない。

＊3　一定の時間をおいて周期的に噴水のように熱湯や水蒸気をふきあげる温泉

21 アナ

「雪……よりによってどうして雪なの？」アナは寒さに凍えながらいった。スヴェンが引いてクリストフが手綱をにぎるそりにのり、山に向かって進んでいた。オラフもいっしょだ。「どうせなら、南の国に変えてほしかったな。フィヨルドがあたり一面、白い砂のビーチになって、あったかいおひさまの光がふりそそいでるほうがいいと思わない？」

「ぼく、おひさま大好きぃ！」オラフがいった。そりが雪のこぶにぶつかって跳ねあがったひょうしに、オラフの頭の上の雪雲がそりの座席の背もたれにぽよんとあたった。「というか、好きだと思うなぁ。城のなかにいると、おひさまがどんなふうなのか、よくわかんないんだけどさぁ」

「おれには、おまえが太陽を好きになれるとは思えないけどな」そういうと、クリストフはけわしい目つきで前方に目を凝らした。

城を出発してから雪はますますはげしくなり、いまでは猛吹雪になっていた。アナは不思議に思っていた。クリストフとスヴェンはこんな雪のなか、どうやって進むべき方向を確認して

るんだろう。日が暮れて、そりの先にかけた小さなランタンの明かりだけでは心許なくなっている。今晩、休むところも早く見つけなければならない。でも、この数時間、まわりには村どころか、家一軒さえ見あたらなかった。するととつぜん、雪の壁が立ちふさがり、行く手をはばんだ。進むとしたら、わきにある、とても道とは呼べない斜面をのぼっていくしかない。

「エルサ王女がこっちに来たのはまちがいないのか？」クリストフがオラフにきいた。手綱をにぎり、スヴェンに雪におおわれた道なき道をのぼらせている。

「うん、そうだよ。あれぇ、でもそうじゃないのかなぁ」オラフは小枝の手で頭をかいた。「前にもいったかもしれないけど、ぼくはただ、窓から見てただけなんだぁ。叫び声がして、城の噴水とかが凍ってぇ。そしたら、エルサが見えてさ。たぶん、あれはエルサだったと思うんだぁ。だって、氷をつくれるのなんてエルサしかいないもん。エルサが駆けてくとフィヨルドが凍って氷の道ができたんだよ。それで、エルサは森に走っていって」顔をしかめる。「そのまますがたが見えなくなっちゃったんだよぉ」

前方に目を凝らしていたクリストフは、アナをちらりと見た。「だから、しゃべる雪だるまのいうことを、本気で信じるつもりなのかってきいただろう？　こんな大雪のなかにいて、風もはげしく吹いてる。おまけに今夜、泊まるところさえ見つかってない。こんな状況で、

オラフのあてにならない勘だけをたよりに山道をそりで進んでるんだぞ」

「だって、ほかに選択肢なんかなかったし。きっとだいじょうぶ！　オラフが見つけ出してくれるって。オラフはだれよりもエルサ王女を知ってるんだから。ね、オラフ？」

「うん、そうだよ！」オラフが元気よくいった。そりは急カーブを切って、ふたたび斜面をのぼりはじめた。「エルサのことならいっぱい知ってるよ。だって、三年前につくってもらってから、ずーっと部屋から出ないでいっしょにいたんだからぁ」オラフの目がぱっと輝く。「あっ、ちがうや。ときどき秘密の通路をこっそり通って、鐘塔や屋根裏部屋に行ったりしたんだっけ。一度だけ、大広間に行ったこともあったよ。そこでエルサが大きな雪山をつくってくれて、いっしょにすべって遊んだんだぁ。真夜中だったけどさ」

アナはうなじの毛がぞくっと逆立つのを感じた。すると、目の奥に閃光が走り、とつぜん、おさないころの自分が、大広間で金色の髪の女の子といっしょに雪山をすべっている場面が頭に浮かんだ。ふたりいっしょに雪だるまとくっついてスケートをしている場面も浮かぶ。アナはオラフを見た。「ねえ、いまのってオラフのしわざ？」

「しわざってぇ？」

「あたしに、なにか不思議なものを見せたでしょ」アナはオラフにいった。もしくは、あまり

に寒くて頭がどうかしてしまったのかもしれない。

「不思議なものぉ？」オラフがそうきいたとき、そりが岩にぶつかって宙に浮き、どしんと雪の上に落ちた。その瞬間、オラフの雪雲がゆれてアナとクリストフの顔に直撃した。

アナは目をこすった。頭に浮かんでいた場面がだんだん薄れていく。

しかめっ面をしていたクリストフが心配そうな表情を浮かべた。「具合でも悪いのか？ 体が冷えきっちまったせいかもな」

「そうかも」アナはうなずいた。「身に覚えのない記憶が頭に浮かんできちゃって」もう一度オラフを見る。「オラフとそっくりの雪だるまを見たの。たぶんオラフだと思うんだけど。それに広い部屋で、あたしと女の子とふたりで雪山をすべってたの」

「それって、ほんとにあったことだよ！」

アナの呼吸が速くなりはじめた。「いつのことなの？」

養女にむかえたのはアナが赤ちゃんのころだった、と父さんと母さんはいっていた。でもほんとうは、そうじゃなかったら？ 父さんと母さんが出てくる最初の記憶は、踏み台に立って母さんのとなりでパンをつくっていたり、玄関の外でフレイヤがのった馬車が来るのをいっしょに待っていたり、どれも学校に通いはじめた六歳か七歳くらいのものだ。だれだって赤ちゃ

んのころのことなんてちゃんと覚えてないだろうけど、とつぜんあらわれる場面のなかに出てくる女の子は、すがたや声からするとあたし自身だとしか思えない。たぶん四歳か五歳くらい？断片的にあらわれるこの場面はいったいなんなの？　これがあたしの生みの親の家族との最初の記憶なんだろうか。

ときどき、自分の生みの親のことや、いまの両親にあずけられるようになった理由を考えることがあった。でも、両親にたずねたりはしなかった。傷つけたくなかったからだ。養女にむかえられる前のことで覚えているのは、トロールにキスされたことだけ。村の子たちにそういうと、いつもへんに思われたけれど、アナはそれがほんとうにあったことだと信じていた。たしかに夢のようにあやふやな記憶だ。トロールが自分に話しかけ、額にキスするのだから。でも夢に出てくるたびに、これはほんとうに起きたことだと信じていた。そんな夢みたいなことを信じていると、だれかに打ちあけたことはなかったけれど。

でも、一度か二度、両親にだけは話してみたことがある。そういえば、ふたりとも否定しなかった。

アナはオラフにもう一度きいてみた。「ねえ、オラフ。あたしはほんとにオラフとスケートをして遊んだの？　それも部屋のなかで」オラフはうなずいた。「だけど、そんなことってあ

りえる？　この旅を始めるまで、あたしは一度もハーモン村を出たことないんだから。オラフはほんとに城をはなれたことないの？」

オラフの表情がくもる。「ないと思う。でもあるのかなぁ？」

「あたしにきかれてもわからない」アナはもどかしさを感じながら答えた。

「ぼくにもわかんないよぉ」

「ふたりとも、少しだまっててくれないか」クリストフが手綱をぴしっと鳴らしながらいった。

「吹雪のせいでどんどん視界が悪くなってるし、ここは岩だらけだから集中しないといけないんだ。それに、きみの冷えきった体をあたためて、この先どうするかじっくりと考える場所が必要だ。行き先をよくわかってないしゃべる雪だるまと、このままあてもなくさまよいつづけるなんてごめんだからな」

「でも――」

クリストフはアナの言葉をさえぎった。「いまは話しかけないでくれ」立ちあがり、暗闇に向かってランタンをかざす。「谷の近くまで来たと思ってたのに、雪のせいで景色が変わっちまっててよくわからん」

「谷って？」そうきいたとたん、アナの体がぶるぶるとふるえ出した。

「雪のない谷だ」クリストフは答えた。雪のない谷があることを少しもうたがっていない口ぶりだ。

「王国じゅうが雪におおわれてるのに、雪のない谷なんてあるのかなぁ。おかしくなーい？」オラフがいった。

「じゃあ、しゃべる雪だるまがいるのはおかしくないっていうのか？」クリストフがいいかえす。

そのとき、遠くでオオカミの遠吠えが聞こえた。

その瞬間、アナの心のなかに、エルサ王女を見つけなきゃ、という思いがとつぜんはげしくわきあがってきた。すさまじく強い思いにのみこまれそうになる。

アナはうろたえ目を閉じて、その強烈な思いを心の奥へ押しこもうとした。クリストフのいうとおり。少し眠ったほうがいいかもしれない。「気分がよくないの」とつぶやき、頭を座席の背もたれにもたせかけた。

「アナ？」クリストフがアナをゆすった。「眠ったらだめだ。聞いてるか？　いま休む場所を見つけるから」アナの上半身を片手で抱きおこす。「オラフ、だまれといっときながらこんなことというのもなんだが、アナに話しかけてくれ。どこか休めるところが見つかるまで」

「わかった！　でも、なにを話せばいいの？」オラフがきいた。

「そうだな。エルサ王女がおかしくなって、王国じゅうを凍らせた理由とか？」クリストフが手綱をぴしっと鳴らし、スヴェンは斜面をのぼりつづける。

アナはクリストフをきっとにらんだ。「エルサ王女はおかしくなってなんかない。ただ――」

そのとき、また目の奥に閃光が走った。頭が割れるように痛む。

〝エルサ、魔法を見せて！　ねえ、魔法を見せて！〟と女の子がいう声が聞こえたかと思うと、その女の子がナイトドレスを着て椅子にすわり、両手をたたいている場面があらわれた。いま、エルサと呼んだのはおさないころのあたし？　そんなのありえない！　呼吸が大きくみだれはじめる。あたしったらどうなっちゃったの？

「急げ、スヴェン！」クリストフが片手でアナをささえながらさけぶ。「アナ、しっかりしろ。あと少しのがまんだ」

「うん……」とアナは消えいるような声で答えたが、頭は燃えるように熱かったし、体はひどくだるかった。

クリストフはさけんだ。「オラフ！　アナに話しかけろ！　エルサ王女のことならなにか教えてやれるだろ？」

オラフが話しはじめた。「エルサはね、花が大好きなんだよぉ。ハンスが毎週、紫のヘザーの花束をとどけてくれたんだぁ。ハンスはエルサを部屋から連れ出せる数少ない人のひとりなんだよ」

「すてきね」アナがそう答えながらまぶたを閉じようとする。

クリストフはふたたびアナをゆすった。「オラフ！　話しつづけろ！」

「それとね、手袋も好きだったよぉ」というと、オラフはすわったままとびあがったので、一瞬、頭が胴体からぴょんとはなれた。「エルサはいっつも青緑色の手袋をはめてたんだ。夏でもねぇ。どうしてかなぁって思ったんだけど……きっと手がよごれるのがいやなんだよね。そうだ！　それと、王と王妃が残した地図や本を読むのも好きだったよ。ぼくは王にも王妃にも会ったことないんだけどさぁ」オラフの顔が悲しげになる。「エルサが前に教えてくれたんだぁ。部屋から出ないようになったのは、王と王妃が亡くなったときからだって。だけど、今年になって女王になる準備を始めないといけなくなってぇ。それで、部屋を出ることも多くなったんだよ」

「なんて悲しいの」アナはそうつぶやく自分の声が遠くから聞こえるように感じた。「部屋に閉じこもって、世界のすべてから自分を遠ざけていたのね。あたしもときどきハーモン村でそ

んな気分になったことがある。王国じゅうから切りはなされたような気持ちになったことが。もっといろいろなものを見たかったのに」

「いまからだって見られるだろ。だから眠るな。あっ、納屋だ！」クリストフがさけんだ。「助かった。とまれ、スヴェン！」

吹きつける雪の向こうに納屋を見た瞬間、アナは意識を失った。

気がつくと、アナは干し草のにおいのするあたたかい場所にいた。たき火がはぜる音が聞こえてくる。アナは目をぱちぱちさせながら開いた。

クリストフがいった。「おっ、起きたのか。何時間も眠ってたんだ。おい、オラフ。アナが目を覚ましたぞ！　まさかこのまま……いやなんでもない」髪をかきあげる。「スープがあるんだ……腹になにか入れたほうがいい」

スヴェンがブルンと鼻を鳴らした。

「スープ？」と答えたとたん、アナは頭がくらくらするのを感じた。クリストフはウールの毛布をかけてくれていた。納屋はとても広くて、馬房のなかで馬たちが干し草を食み、小屋のなかにはニワトリがいて、すぐそばで一頭の牛が鳴いている。猛吹雪のなか、動物たちもみんな

建物のなかに避難(ひなん)しているのだろう。

「なんだよ、アナにスープをのませたほうがいいだろう？」クリストフがスヴェンに向かってなにやらいっている。「なにか腹に入れないと。おれと同じで、アナも城ではグロッグをのみそこなったんだし。それに、ニンジンはおまえがぜんぶ食っちまっただろ」スヴェンはまた鼻を鳴らした。「心配なだけだ。ほかになにがあるっていうんだ？」スヴェンが今度はひづめで地面をひっかく。「だから、心配なだけだって。しつこいぞ、スヴェン」

クリストフはスープの入ったマグカップをアナに差し出した。「ほらのめ。今日はちゃんと、この納屋に泊(と)まらせてもらえるよう家主(やぬし)に許可をとったから心配しなくてもだいじょうぶだ。城のようすを知りたがってたから、よろこんでたよ。といっても、たいした話はできなかったけどな。だが、しゃべる雪だるまを見て、子どもたちは大はしゃぎだったよ」

オラフがくすくすと笑った。「ぼくの雪雲が気に入ったみたい。だけど、雪には飽(あ)きちゃったってさぁ」

クリストフがうなずく。「おれだって、この雪にはもううんざりだ。氷をとって売るのが商売といえどもな。アナ、スープをのんだほうがいい」

アナはゆっくりと体を起こした。まだ頭ががんがんして、思わずうめき声をあげた。

クリストフがマグカップをアナの口もとに差し出した。「ほら、少しだけでもいいから」

ひと口のむと、アナは体の内側がじんわりとあたたかくなるのを感じた。クリストフったらいつもはむすっとしてるけど、案外いいやつなのかも。「ありがと」

クリストフの顔が赤くなった。「いや、その……」スヴェンがまた鼻を鳴らすと、クリストフは目をそらした。「お礼をいわれるほどのことじゃない。おれはただ、アナをぶじに家に送りとどけたいだけなんだ。だから、そろそろ村に帰らないか？」

アナは目を大きく見開いた。「だめ！　エルサ王女を見つけなきゃ！」

クリストフは壁に背をあずけ、ため息をもらした。「こんな寒さのなかうろつきまわってたら、もっと具合が悪くなっちまうぞ」

「具合が悪いのは、寒さのせいじゃない」とアナはいいかえした。いま感じていることを、どう言葉にしていいのかわからない。自分でも奇妙に思えるけれど、なにかが、このまま進みつづけてエルサ王女を見つけろと告げている。エルサ王女なら、きっとあたしの身に起きているのがどういうことなのかわかるはず。だって、エルサ王女は魔法が使えるんだから。「だれかがエルサ王女を説得して、夏をとりもどさなきゃ。きっと、オラフのいうことなら聞きいれてくれるよ。もしだめだったら、あたしたちが説得するしかない」

「ますます寒くなってきたな」クリストフがスープの入ったマグカップを下に置くと、スヴェンがすかさず舌でピチャピチャとなめはじめた。「オラフでさえエルサ王女の行き先がわからないんだ。この王国を救いたい気持ちはわかるが、やみくもにさがしまわるわけにはいかない。ノースマウンテンへ向かったかもしれないというあいまいな推測だけでは、このままさがしつづけるなんて無理だ。現実に向き合え。エルサ王女の居場所はだれも知らないんだぞ」

「〈リヴィング・ロックの谷〉だよ！」オラフがとつぜんさけんだ。

クリストフが目を大きく見開いた。「なんだって？」

「そんな場所、知らないけど」アナは首をかしげた。

「ぼくだって知らないさぁ。だけど、聞いたことはあるよ。王妃がエルサに宛てた手紙を男の人が読んでるのが聞こえたんだ。そのときたしか、〈リヴィング・ロックの谷〉っていってた。ただ、それがどこにあるのかわかんないんだけど」

「その谷のある場所なら知ってる」クリストフがぼそりという。

「だったら連れてって」

クリストフは髪をかきあげた。「行かなきゃだめか？」

アナはクリストフの手をぎゅっとにぎった。「お願い！」

たき火がはぜる音を聞きながら、アナはクリストフの答えを待った。オラフもそばに近づいてきて、スヴェンは鼻を鳴らす。みんなの視線がクリストフにそそがれていた。クリストフは自分の手をにぎるアナの手を見おろしている。しばらくして、顔をあげた。その茶色の目は火を反射して輝いている。アナはそのとき初めて、クリストフの顔にそばかすがあるのに気づいた。

「わかったよ。じゃあ、夜明けに出発だ。だが、あったかくしろよ」

アナはにっこりと笑った。今回は、いますぐ出発よ、とはいいかえさなかった。

22 エルサ

〈リヴィング・ロックの谷〉を出てノースマウンテンに向かってから、どれくらいの時間がすぎたのだろう。アナといっしょにいられないとわかったいま、エルサには時間など、もはやどうでもよかった。頭のなかでは、パビーの言葉が何度も繰りかえされていた。

〝もう少ししんぼうするしかない〟

しんぼうですって！　三年ものあいだ、両親を失った悲しみに耐えてきて、アナはその両親のことを覚えてすらいないのよ。それに、わたしにはほんとうは妹がいたのに、おさないころからずっとひとりだった。わたしもアナも、もうじゅうぶんたくさんのものを失ったはずよ。呪いはいつとけるの？　わたしがアナを思い出したのは、わたしにはアナがなくてはならないから。それこそ、パビーがいっていた、呪いをとくために必要なことじゃないの？　アナも過去の記憶を思い出してくれたらいいのに。

けれど、アナがいつまでも思い出さなかったらどうすればいい？

もしそうなったら、呪いがとけるまで、このままノースマウンテンの氷の宮殿にいよう。呪

いが永遠にとけないなら、ずっと宮殿にいればいい。王国には強い指導者が必要だ。悲しみに打ちひしがれた女王なんて必要ない。わたしがいないほうが、みんなもっと幸せになれるはず。

エルサは氷の宮殿へ続く階段の前でそりをとめた。そりをおりて宮殿を見あげても、ここをつくりあげたときのようなよろこびはもう感じられず、みじめな気持ちでいっぱいだった。宮殿に続く階段の雪に残っていた足あとに気づかなかったのは、そのせいかもしれない。だれかいる、と気づいたのは、なかに入ってからだった。

エルサはおどろいて肩をびくりとさせた。「どうしてわたしがここにいるってわかったの?」

「おおまかな見当がつけば、居場所をさがしあてるのはそんなにむずかしいことじゃないさ」ハンスはエルサがこわがって逃げ出さないよう、なにもするつもりはないというふうに両手をあげた。「ぼくひとりだ」ハンスは紺色のロングコートを着て手袋をはめ、マフラーを巻いていた。腰のベルトには、さやにつつまれた剣とクロスボウと呼ばれる弓がさげてある。ブーツは雪でおおわれ、頰と鼻はほんのりと赤い。エルサは、ハンスがどうやってここをさがしあてたのか想像してみたが、氷の階段を見つけてここまでのぼってきたことくらいしかわからなかった。

「どうしてわたしの居場所を……」

ハンスはエルサに一歩近づいた。「フィヨルドを凍らせながらあんなふうに逃げたんだから、きっとどこかにかくれるつもりだろうと思った。だから考えたんだよ。きみならどこにかくれるだろうってね。きっと城からうんと遠い場所だろう。それで見あげたら、ノースマウンテンが見えた」

もしかしたらハンスは、思っていたよりもわたしのことをよくわかってくれているのかもしれない。

ハンスは心配そうに眉をよせた。「だいじょうぶかい？」

だいじょうぶじゃないわ。エルサはそういいたかった。わたしには妹がいる。そして、生きている。どんなことをしても見つけ出したいのに、呪いのせいで引きはなされているの。でも、口には出さなかった。

ハンスはほれぼれとあたりを見まわした。「この宮殿は、きみがつくったのかい？」

「ええ」エルサは感心したようすのハンスを見て、ふたたびささやかな誇りを胸にいだいた。ここは最初にイメージしていたような小さなイグルー[*4]みたいな建物ではなく、アレンデール城のようなりっぱな構造をした宮殿だ。壁やアーチ形の入り口には雪の結晶や複雑なもようが施してあり、青く輝く何本もの柱が宮殿ぜんたいをほんのりと照らしている。

「すてきな場所だ。そしてエルサも。なんでかな。いつもとは別人みたいだ」

エルサは頬を染めた。「ハンス……」

「髪型のせい？　いつもはそんなふうにおろしてないから。それにそのドレスもいいね。ここはきみにぴったりの場所だ」ハンスはエルサの後ろにある部屋にちらりと目をやった。「ひとりなの？」

エルサは深いため息をもらした。「わたしはいつもひとりよ」

ハンスはさらに近づいた。「きみはひとりじゃないよ、エルサ。ぼくがそばにいる。いままでだってそうだったじゃないか」

ハンスの声にふくまれるやさしいトーンのせいなのか、ここまではるばる自分をさがしにきてくれたからなのかはわからなかったが、頑なだったエルサの心のなかで、なにかがくずれた。目に涙があふれてくる。「あんなふうに力を見せてしまってごめんなさい。こわがらせるつもりなんてなかったの。だれも傷つけたくないのよ」

「わかってるさ」ハンスはエルサの手をにぎった。

「ウェーゼルトン公爵にしつこくせきたてられて、戴冠式も始まろうとしてた。それに、あのとき初めて知っ——」エルサはそこで言葉をとめた。

「なにを知ったの？」ハンスはきいた。

エルサはハンスの手をはなした。「なんでもない」アナのことをどうやって話せばいいというの？

「教えてくれなかったら、助けることもできない」とハンスはいったが、エルサはだまっていた。「エルサの力はすばらしいよ」

エルサはハンスを見た。「ほんとうにそう思う？」

ハンスはほほえんだ。「きみの力は、天が授けてくれたすばらしい贈り物だ。その力がどれほど王国の役に立つか想像してごらん。みんながこわがってるのは、きみの力を理解していないからにすぎない。この冬を終わらせて、きみの魔法の力で王国を守れることをしめせば、みんなきみにしたがうはずだ。まちがいない」

「したがう？」エルサは繰りかえした。なぜだかこの言葉がひっかかった。

ハンスはあわててこう続けた。「つまり、エルサの魔法の力に敬意をはらうということだよ。そして、きみのあとを追ってここまで来たぼくにも、同じように敬意をはらうにちがいない」

もう一度エルサに手をのばす。「王国のためにできることを考えよう。ぼくといっしょに」

〝ぼくといっしょに〟

エルサは思わずあとずさった。そうか、そういうことだったのね。どうしていままで気づかなかったんだろう。ハンスはわたしのために来たんじゃない。自分のために来たのよ。「いまでもわたしと結婚したい？」

ハンスは片ひざをついた。「もちろんさ。魔法の力をもっていようが、ぼくはきみと結婚したい！　城にもどって女王になるんだ。そしていっしょに王国を治めよう。もう二度とひとりにはしない。約束するよ」

〝いっしょに王国を治めよう〟

まただ。ハンスが欲してやまないのは王位。わたしではなく、権力がほしかっただけなのよ。

「ごめんなさい。あなたとは結婚できないし、城にもどるつもりもないわ」エルサは二階へ続く階段をのぼりはじめた。「せっかくここまで来てくれたのに、望みをかなえてあげられなくて申しわけないけれど」

ハンスの顔がゆがんだ。「なんだと？　いっしょに城にもどるんだ！」声にとげとげしさが加わった。「断るなんて、そんなの怪物がすることだ！」とさけんだとたん、はっとわれに返って大きく目を見開く。「そんなつもりじゃな――」

「お願いだから、ここから出ていって」エルサはハンスの言葉をさえぎった。怪物……やさし

い言葉をかけながら、ほんとうは公爵と同じようにわたしのことを見ていたのね。

「いっしょに帰ろう。たのむから冬を終わりにしてくれ……夏にもどしてほしい」ハンスの声にはいらだちがまじっている。「お願いだ」

「わからない？　できないのよ。どうやったら冬を終わらせられるか知らないの。だからわたしはここに残る。だれも傷つけたくないから。ごめんなさい」

ハンスは落ち着きをとりもどし、冷淡な口調でこういった。「そうか。だが、きみにはできなくても、アナにならできるかもしれない」

外で吹きすさぶ風の音だけが宮殿のなかに響きわたる。

エルサはおどろきのあまりよろめいた。「いま、なんていったの？」

ハンスはポケットから羊皮紙を一枚とり出して高くかかげた。「アナなら夏をとりもどせるかもしれない、といったんだ。きみはそのためにここに来たんだろう？　妹を見つけるために。王妃からの手紙はすべて読ませてもらった」

エルサは表情をこわばらせた。「なぜ、あなたがそれをもってるの？」

「きみがあわてて城から逃げ出したときにひろったのさ」手紙に目を走らせながらハンスはいった。「戴冠式の日に、この手紙を見つけたんだろう？　それ以外に、きみが氷の魔法をみ

んなの前でさらけ出してしまった理由は考えられない」得意げににやりとする。「きみを責めるつもりはない。ぼくだって、何年も前に生きわかれた妹がいるととつぜん知ったら、動揺しておかしくなるだろう」

「だれかにその手紙のことを話した？」エルサはかすれ声できいた。

「いいや、だれにも。いまのところはね。きみが城にもどってぼくと結婚してくれれば、すべて計画どおりだったんだ。だが、きみにそのつもりがないなら、ぼくにも考えがある」

エルサはうろたえながら氷の階段の手すりをつかんだ。「あなたの好きなようにはさせない」

「サザンアイルズ王国では、ぼくは王位継承順位が第十三位だ。国王になんて一生なれっこない」ハンスは床の上をゆっくりと行ったり来たりしはじめた。「国王になりたければ、どこかの国の王女と結婚するしかない。だから、ウェーゼルトン公爵からアレンデール王国ときみのことを聞いたとき、すごく興味をそそられたんだ。だが、けっきょく、きみをくどき落とすことはできなかった。きみはいつだって心を閉ざしていたしね。そして、そのせいで、きみは自分を破滅に追いこんだ。王国にもどって、エルサ王女には夏をとりもどす気がないと伝えれば、みんなきみのことを怪物だと思うだろう」

「やめて！」エルサがハンスのほうへ階段を駆けおりはじめると、ハンスはクロスボウをかま

えてエルサに向けた。エルサはおどろいて足をとめ、その場に立ちすくんだ。

エルサは目の前に立っている人物が、もうだれだかわからなくなっていた。これが何か月もやさしい言葉をかけつづけ、毎週、花を贈り、ふたりの将来を決めるのをしんぼう強く待っていてくれたのと同じ人物なのだろうか。

ハンスこそ、怪物だったのだ。

いまごろ気づくなんて、わたしはなんておろかなのだろう。

「ありがたいことに、アレンデール王国にはもうひとり王位継承者がいるとわかった。みんなにこの手紙を見せてアナを見つけ出せば、王国が失っていたもうひとりの王女を救い出した人物として、ぼくはみんなに感謝されるだろう。それに、ぼくはなんといっても魅力的だから、きみとちがって、アナは会った瞬間に、ぼくと結婚したくなるはずさ。あとはきみを殺して、夏をとりもどせばいい」

「あなたが、わたしに勝てるわけないわ」いつものように指先がひりひりしはじめる。エルサはハンスにねらいを定めた。

「いいや、負けるのはきみだろ。勝つのはぼくさ。アレンデール王国を破滅から救ったヒーローになるんだからな」ハンスは走っていって宮殿の扉を開けた。「衛兵！　衛兵！　エルサ王女

を見つけたぞ！　おそわれそうだ。助けてくれ！」ふりかえり、エルサを見てにやりとする。

うそをついてたのね。怒りがふつふつとこみあげてくる。エルサが両手をふりあげると、指先に青い光があらわれた。「このまま逃がしはしない！」

「これでもそんな強がりをいえるかい？」ハンスがクロスボウを天井に向けて矢を放つと、雪の結晶の形をした大きなシャンデリアの氷の鎖に命中した。恐怖に目を見開くエルサに向かってシャンデリアが落ちてくる。よけようと走り出したエルサのすぐ後ろにシャンデリアが落ち、粉々にくだけちった衝撃で、エルサは床にたたきつけられた。よろめきながら立ちあがると、アレンデールの衛兵たちが目の前に立っていた。命を賭して王家を守ると誓った男たちが、いまや王女に剣を向けている。もっと体の大きな赤いロングコートを着た男がふたり、宮殿に駆けこんできた。エルサはそれがだれだかすぐにわかった。ウェーゼルトン公爵の護衛たちだ。

「追いつめたぞ！」護衛のひとりがさけんだ。「傷つきたくなければ、おとなしくついてこい」

わたしをおどすつもり？　ここで、彼らにこんなことをする権利はないわ。エルサの指先がふたたび光り出すと、ふたりの護衛はそろってクロスボウをかまえた。

エルサはさけんだ。「あなたたちと城にもどるつもりはありません。後ろにさがりなさい！」

そのとき、シュッという音がして、クロスボウの矢がエルサめがけて放たれた。エルサが両

手をあげた瞬間、氷の壁があらわれ盾となって矢を受けとめる。矢がつぎつぎとつきささり、氷の壁にひびが入りはじめる。エルサは氷の壁をつくって盾にしながら、宮殿から出る方法を考えた。ハンスに好き勝手をさせないよう、つかまえなければならないのに護衛たちがしつこく追ってくる。エルサは何度も光を放って氷の壁でまわりをかためながら進んでいった。

「こっちだ！」短剣のようにとがった氷の壁をよけながら、公爵の護衛のひとりがさけんだ。ふたりは氷の壁をまわりこんでエルサに近づこうとする。

　エルサは身を守ろうと両手を前につき出した。「傷つけたくないの！　近よらないで！」

「こっちからねらえ！」ふたりの護衛がそれぞれべつの方向からエルサにクロスボウを向ける。

　エルサが片方の護衛に向けて青い光を放つと、するどいつららとなってとんでいき、服に刺さって護衛を壁に釘づけにした。続いてもう片方の手をふりあげると、青い光が部屋をつっ切り、氷の壁となってもうひとりの護衛をじりじりと押していった。エルサはハンスに裏切られたことや、なにも知らないままハンスの餌食になろうとしている妹を思いながら氷の壁を青い光で押しつづける。氷の壁の向こうでバルコニーのへりまで押しやられた護衛はいまにも下に落ちそうだ。

　そのとき、部屋に駆けこんできた衛兵のひとりがさけんだ。「エルサ王女、お願いです！

みんなにおそれられる怪物になってはいけません！」

怪物という言葉を聞いて、エルサははっとわれに返り、両手をおろしはじめた。そのすきをねらって公爵の護衛がエルサにクロスボウを向ける。

それに気づいたエルサが怒りとともに両手をふると、メキメキと音をたてながら、まわりの氷の壁をさらに新たな氷の壁がおおいはじめた。自分を守ってくれる大きなものを思いえがく。すると、床がゆれはじめ、指先から放たれた氷が竜巻のように渦を巻き、やがて建物の数階分はありそうな巨大な雪男に変わった。雪男は青い目を光らせながら、おそろしい声で吠えたてる。

「もう来るな！」と雪男はさけんでいるようだったが、エルサにもなんといっているかはっきりとはわからなかった。あるいは、くずれはじめた周囲の壁が出す音だったのかもしれない。

衛兵たちが雪男と戦おうと剣をかまえる。

そのすきを見てエルサは駆け出した。宮殿の扉から吹雪のなかへとび出すと、階段の下にはさらに多くの衛兵たちが待ちかまえていた。

扉の近くにいる巨大な雪男を見た瞬間、衛兵たちの目におびえが走った。そろってクロスボウをかまえ、エルサの心臓にねらいを定める。

「お願い」とエルサはいったが、風のせいでその声はかき消されてしまう。「話を聞いて」エルサの声は衛兵たちの耳にはとどかなかった。「放て！」

矢がいっせいにエルサめがけて放たれたのと同時に、雪男が後ろ向きでよろけながら宮殿から出てきた。左脚（あし）が切られてなくなっている。雪男はバランスをくずして氷の階段へたおれこみ、階段をつきやぶって谷底へとまっすぐに落ちていった。残っている階段がぐらつきはじめる。階段がくずれ落ちるのも時間の問題だ。エルサがなくなった部分をとびこえて残っている階段に足をついた瞬間、周囲の氷がくだけちった。その衝撃（しょうげき）で、エルサはその場にたおれて意識を失った。

＊4　氷や雪のかたまりをつみあげてつくるドーム型のイヌイットの家

23 アナ

つぎの日の朝も、分厚(ぶあつ)い雲におおわれて太陽はすがたをあらわさなかった。猛烈(もうれつ)な勢いで雪を積もらせつづけている吹雪(ふぶき)のせいで、いまや王国じゅうが薄闇(うすやみ)につつまれている。こんな天気のせいか、クリストフは〈リヴィング・ロックの谷〉へ行くのに、いつもよりずっと時間がかかっているようだった。

「おかしいな。ずいぶん走っているんだから、そろそろ着いてもいいころなんだが」クリストフはぼそりとつぶやき、そりをとめた。

「道に迷ったの？」アナはきいた。

「うん、道に迷ったみたいだねぇ」オラフが口をはさむ。

もしそうだとしても、アナはクリストフを責める気にはなれなかった。目の前にかざした手がよく見えないほど、雪がはげしく降(ふ)りつづいているのだから。

「しーっ！」クリストフはそりのフックにかけていたランタンを外してかかげると、薄闇(うすやみ)に目を凝(こ)らした。スヴェンは落ち着かなそうに前足で雪をひっかいている。

アナとクリストフがそれを見つけたのはほぼ同時だった。いくつもの黄色い目が、こっちを見つめている。

オオカミだ。

低いうなり声がはっきりと聞こえたかと思うと、オオカミの群れが木のあいだからあらわれた。その牙はおどろくほどするどい。

クリストフはランタンをフックにもどし、手綱をつかんだ。「スヴェン、走れ！」スヴェンが勢いよく駆け出して、そりが、がくんとゆれる。

「わあ、見て！　ワンちゃんだよ！　かわいいねぇ」オラフがいった。

「オラフ、あれは犬じゃないってば！」そういってアナはクリストフのほうを向いた。「ねえ、どうすればいい？」

クリストフはオオカミの群れに追いつかれないよう必死にそりを走らせていたが、座席の後ろの荷台から棒をつかむと、ランタンのなかにつっこんだ。棒に火が燃えうつり、たいまつができあがる。「オオカミが数頭くらいいたところで、どうってことない」そういって、たいまつを空中でふりまわしてオオカミを追いはらう。

「あたしにも手伝わせて！」

「だめだ！」クリストフはさらに強く片手(かたて)で手綱(たづな)を鳴らした。

「どうしてよ」そりがあまりにも速く進むので、まるで短剣(たんけん)をつきつけられているかのようにするどく頬(ほお)に雪があたる。

「きみの判断力は信用できない」クリストフがかみつくようにいいかえす。

アナは肩(かた)をいからせた。「それ、どういう意味？」

「いまのきみは、まともに考えられる状態だとは思えない！　こんな吹雪(ふぶき)のなか、しかも具合が悪いのに、旅を続けるといってきかないんだからな」クリストフが足蹴(あしげ)りを食らわすと、オオカミが後方に消えていった。オオカミが近づいていたことに、アナはまったく気づいていなかった。

アナは座席の後ろに手をのばし、武器になりそうなものをさがした。オラフがクリストフのリュートをアナに手わたす。「具合なんて悪くない！」

「意識を失ったし、ぶつぶつひとりごとばかりつぶやいてるじゃないか」クリストフがいいかえす。

「だってそれは、見えちゃうからよ！」アナがふったリュートがオオカミに直撃(ちょくげき)すると、ほかのオオカミたちが逃(に)げていった。

「すげえ!」クリストフが感心したようにいう。「で、なにが見えるって?」

アナはリュートをふりまわす手をとめて、クリストフを見た。「こんなことをいうと、へんに思われるかもしれないけど、おさないころのあたしとエルサ王女がいっしょにいる場面が浮かんでくるの」クリストフはオオカミをよせつけないよう、たいまつをそりの横につき出した。

「でも、ほんとにへんになったわけじゃないはず。だって、トロールにキスされたのは、まちがいないと思うし。といっても、そのときのことはよく覚えてないんだけど」

「それって、冗談じゃなかったんだ」クリストフは目を見開いた。「だったら、パピーを知ってるか?」

「パピーってだれ?」とアナがきいたとき、オオカミがそりにとびのろうとしたので、クリストフはたいまつをつきつけて追いはらった。

つぎの瞬間、べつのオオカミがコートの袖にかみついてきて、クリストフはそりから引きずりおとされた。

「クリストフ!」アナはさけび、クリストフの手からはなれたたいまつを落ちる寸前にさっとつかんだ。スヴェンにとまれと指示を出す時間なんてない。それに、とまってしまえば、みんなオオカミにおそわれてしまう。

「おい、こっちだ！」クリストフの叫び声が聞こえた。

クリストフはロープにつかまって、そりに引きずられていた。オオカミたちがすぐそばまでせまっている。アナは座席の後ろの荷台に積んであった毛布に火をつけた。

「うわぁ！」オラフが燃えあがる毛布を見て声をあげる。

アナはそれをつかんでそりの後ろに向かって投げつけた。火のついた毛布が自分めがけてとんできたのでクリストフは悲鳴をあげたが、毛布はクリストフの頭上すれすれをとんでいった。

一度は散ったオオカミたちが、またもどってくる。

アナはクリストフを助けようと、そりの荷台へ急いで移動した。クリストフはロープをたぐりよせてこっちに近づいてくる。

「黒焦げになるところだったぞ！」

「ねえ！」オラフがいった。

アナはオラフに返事をせず、手をのばしてクリストフをそりの上に引っぱりあげた。「ならなかったでしょ」

「ねえったら！」オラフがまたいった。「もうすぐ道がなくなっちゃうよ！」

前を見たアナとクリストフははっとした。すぐそばに深い谷がせまっているが、スヴェンは

オオカミの吠え声に駆りたてられるように全速力で走りつづけている。アナとクリストフは急いでそりの座席にもどった。

「谷をとびこえて、スヴェン」アナはさけんだ。

クリストフがオラフをアナのひざにのせ、いっしょに抱きかかえる。

「ちょ、ちょっと！」アナが文句をいう。

クリストフはアナとオラフを放りなげるようにしてスヴェンの背にのせた。「スヴェンに命令するな！　おれがする！」そりが谷に達する寸前に、クリストフはそりの引き綱を切りはなした。「とべ、スヴェン！」

スヴェンが空中をとんだ。アナはスヴェンにしがみつきながらふりかえった。クリストフがのったそりは宙に浮いている。スヴェンは谷の向こう側に着地し、アナとオラフをふり落とさんばかりの勢いでとまった。アナはスヴェンからとびおりて、谷へ駆けよった。クリストフは谷底へまっさかさまに落ちていくそりからとび出し、かろうじて谷のへりをつかんだ。そのまままずりずりと落ちていく。

「待ってて！」アナはさけんだ。「ロープ！　ロープはどこ？」あわてふためきながらオラフにきいたが、荷物はぜんぶそりのなかだとすぐに気づいた。クリストフが落ちませんように、

と必死に祈る。

そのとき、どこからかロープを結びつけてある斧がとんできて、アナの頭の上をこえて谷のへりにいるクリストフの前につきささった。

「つかまれ」とだれかがさけぶ声がする。

アナがふりむくと、紺色のロングコートを着た、赤みのある栗色の髪の男の人がロープの反対の端をつかんでいた。

「引っぱりあげるから、手を貸してくれ！」男の人がアナにいった。

アナは男の人といっしょにロープをつかんで両足をふんばり、クリストフを安全なところまで引きあげた。クリストフはあおむけにたおれ、苦しそうに息をしている。アナはほっとしたあまり思わずクリストフを抱きしめそうになったが、すんでのところでやめた。クリストフの呼吸が落ち着くのを待ちながら、アナは心のなかでつぶやいた。支払いを終えたばかりの新品のそりが谷底に落ちて燃えてしまったことは、まだ教えないほうがいいかもしれない……。

アナはクリストフを助けてくれた男の人のほうを向いた。となりに月毛の馬がいる。「ありがとう。あなたが助けてくれなかったら――」

男の人はアナの言葉をさえぎった。「とうぜんのことをしたまでさ。それより、こんな吹雪

のなか、なにしてるんだい？　オオカミだっているし、危ないじゃないか」

「おれも同感だ」クリストフが肩で息をしながらいった。「だが、こいつは一度こうと決めたら、なにがなんでもあきらめないんだ。耳を貸したおれがばかだった」

アナは握手しようと、男の人に手を差し出した。「あたしはアナ。で、あなたが助けてくれたのはクリストフ」

「おれは、助けてくれなんていってないぞ」クリストフがぶつぶつと文句をいった。

男の人は、薄茶色の目をぱちくりさせたあと、こういった。「いま、アナっていったかい？」

アナは早口で一気にまくしたてた。

「そうよ。ハーモン村が雪と氷におおわれちゃって、なにが起きてるのか知りたくて、あたしたち、山をおりて城まで行ったの。だけど、そのあとそりにのってるときにオオカミにおそわれて追いはらってたら、いつの間にか谷に落ちそうになってて。それで、クリストフがあたしをスヴェンの背にのせて、ああ、スヴェンっていうのはクリストフのトナカイのことね。で、スヴェンはジャンプして谷のこっち側に着地できたんだけど、クリストフのそりは谷底に落ちちゃって危うくクリストフも落ちるところだったけど、あなたが助けてくれたってわけ」アナはにこりと笑った。男の人は面くらったような顔をしている。「おかげでみんなぶじよ。で、

あたしはアナ。あれ、さっきもいった?」

男の人はアナの手をにぎり、ほほえんだ。「ああ、さっき聞いたが、べつにかまわないさ」

とってもすてきな笑顔。

「会えてうれしいよ、アナ。ぼくは、サザンアイルズのハンスだ」

ハンスの手をにぎっていたアナの指に力が入る。「ハンスって、あのハンス王子?」

ハンスは笑った。「ああ、だと思う。そしてきみは、あのアナだ。そうだよね?」

「えっ? あ、うん……だと思う!」おもしろい人。アナは急になにもかもおかしくなって笑い出した。オオカミは谷の向こう側だし、クリストフはぶじだったし、おまけにこうしてエルサ王女のハンス王子にまで会えた。これはきっと運命よ!

「ハンス王子」オラフが木のあいだから駆(か)けよってきた。もしかしたらクリストフの荷物がこっちにもとんできているかもしれないと思ってさがしていたのだ。「わあ、やっぱり! ハンス王子だぁ!」

ハンスはぎょっとしたひょうしに雪の上で足をすべらせた。

「びっくりするよね」アナは、初めてオラフを見たときに、自分もすごくおどろいたことを思い出しながらいった。「エルサ王女がつくったのよ。名前はオラフ。この冬を終わらせるために、

いっしょに王女をさがしてるの」

「そうそう、いっしょにエルサをさがしてるんだぁ！」

「きみたちが？」ハンスがおどろいた顔でたずね、アナとオラフはうなずいた。

クリストフが体を起こすと、アナはハンスの手をはなした。

クリストフが口を開いた。「さてと、自己紹介も終わったし、またオオカミにおそわれる前に出発しないと。おかげで助かったよ。ハンス王子さま」

アナは顔を赤らめた。もうクリストフったらはずかしい。そんないやみな言い方するなんて。あたしはもう慣れたけど、王子に対して失礼よ。「ごめんなさい。この何日か、いろいろとたいへんで。いままでのところ、残念ながらエルサ王女をさがし出せてないの。あなたは？　王女の居場所について、なにか手がかりとかある？」

ハンスは表情をくもらせた。「いや、なにも。きみは？」

アナは首を横にふった。「ぜんぜん。〈リヴィング・ロックの谷〉にいるんじゃないかと思ってるんだけど、なにしろこんな大雪だから、なかなかたどりつけなくて」

「そうなんだ」ハンスは髪をかきあげた。「ぼくは、エルサはノースマウンテンに向かったと思ってね。それで、ここにいたんだよ。だが、なんの手がかりもつかめてない。いずれにせよ、エ

ルサがノースマウンテンをのぼれたとは思えない」

「どうしてそんなことがわかるんだ？」クリストフがきいた。

ハンスはクリストフを見た。「だってエルサは王女なんだ。なんの道具ももたずに山をのぼれると思うかい？」

そうかな、とアナは思った。ハンス王子のように考えたことはなかったけれど、王子のいうことはちがう気がする。だって、あたしやオラフだってこんな遠くまで来られたのよ。あたしなんていままで一度もハーモン村を出たことさえなかったのに。エルサ王女だったら魔法が使えるんだから、山ぐらいのぼれるはず。

「のぼろうと思えばのぼれるはずだ」クリストフがアナの心の声を聞いていたかのようにいい、アナとハンスのあいだに割ってはいった。「エルサ王女は雪をつくり出せるし、寒いところが好きなはずだろ」

クリストフったら昨日の夜は、エルサ王女がおかしくなって、とかいってたくせに、今日は王女の魔法の力をほめるわけ？

「雪をつくり出せるって、このオラフというしゃべる雪だるまのことかい？」ハンスはとまどいながら、オラフに小さく手をふった。「やあ」

「ハンス王子！　やっと会えたねぇ。すっごくうれしい！」オラフは小枝の手をたたき合わせながらいった。「ぼく、ハンスの花が大好きなんだぁ！」ハンスはなんのことだ？という表情を浮かべた。

アナが代わりに説明した。「オラフがいってるのは、あなたが毎週、王女に贈ってた紫のヘザーのことだと思う。それにオラフはこんなふうにも教えてくれたの。ハンスはエルサを部屋から連れ出せる数少ない人のひとりなんだよって」

ハンスは顔を赤らめた。もしくはただ、冷たい風があたっているだけかもしれない。「紫のヘザーはエルサのお気に入りの花なんだ。見ると元気になるみたいだったから」ハンスの表情がかげる。「エルサが信頼をよせてた人は多くない。さびしさをかかえてるのはわかってたが、まさか王国じゅうを永遠の冬に閉ざしてしまうなんて思いもしなかった」

「エルサ王女だって、まさかこんなふうになるとは思ってもみなかったんじゃないかな」とアナがいったとき、突風が吹いて雪が舞いあがった。「エルサ王女が自分の王国にわざとこんなことをするはずないよ」

「王女に会ったことあるのかい？」ハンスがきいた。アナとクリストフが同時にぶんぶんと首を横にふる。ハンスはしんみりといった。「ぼくはエルサをよく知ってる。心のなかに苦しみ

をかかえてて、ときどき、すごく不機嫌になることもあった。戴冠式を目前にして、とても悩んでたんだ」

オラフが口をはさんだ。「そうそう。エルサは髪型のことで悩んでたんだよぉ。みんなはアップにしたほうがいいっていうんだけど、エルサは〝オラフ、髪をおろしたほうがいいと思わない？〟ってきくんだぁ。だから〝ぼくには髪がちょっとしかないからわからない〟って答えたんだよぉ」オラフは頭のてっぺんの小枝を指さした。

ハンスが話をもどした。「エルサは女王になるのをこわがってた。心の準備ができてないといってね。戴冠式が近いから神経質になってるだけだと思ったが、繰りかえしそういいつづけていた。この王国のあらゆる責任を背負うなんて荷が重すぎるとも。きみならいい女王になれるし、ぼくがそばにいるよ、とはげまそうとしたんだが……」

アナはハンスの腕にそっとふれた。「エルサ王女を助けたかったのね」

ハンスは目をそらした。「不安そうにしているエルサを見るのがいやだったんだ。戴冠式の日の朝、エルサはとても機嫌が悪くてね。落ち着かせようとしたが、ぼくにも召し使いにもいらいらとあたって。そう、ウェーゼルトン公爵にも。エルサは、近づかないで、と何度も繰りかえしてた。そして、あんなことが起きて……」ぎゅっと目をつぶる。「なんとか生きて廊下

から出られたが」

「エルサ王女はあなたを傷つけようとしたの？」アナは衝撃を受けた。王女が自分の大切な人を傷つけようとするわけがない。

クリストフがいった。「氷は時にとても危険だ。おれにはわかる。氷を運ぶのが仕事だからな。美しいが荒々しくもあり、制御できない魔力を秘めている」

「そうだな。それにさっきもいったように、あのときエルサはとても怒っていた。ぼくたちに向かって氷を放ち、心臓をつきさそうとしたんだ」ハンスはアナをまっすぐに見つめた。「ほんの一瞬おくれてたら、公爵は命を落としていただろう」

「あの公爵が王女を怒らせたとしても不思議じゃないな」クリストフがくっくっと笑いながらいった。「一度だけ会ったことがあるが、ずいぶん親切そうなじいさんだったし」

ハンスが強い口調でいった。「公爵は殺されかけたんだぞ。きみなら同じことをされても親切でいられるのか？　残念だが、ぼくたちが親しんでいた王女はもういない。あの日ぼくが見たのは……怪物だ」

エルサ王女は王国の民を見捨てたりしないはずよ。そのとき、はげしい頭痛がして、アナは頭をかかえた。また目の奥に閃光が走った。でも、今回はおさないころの場面はあらわれず、

だれかの悲痛な思いを感じた。

〝助けて！〟とだれかがさけぶ声が聞こえる。〝アナ！　助けて！〟

「エルサ王女？」とアナはつぶやき、へなへなと地面にすわりこんだ。

クリストフが手をのばしたが、ハンスがアナを抱きかかえるほうが早かった。アナはまばたきを繰りかえした。目がちかちかして、ハンスの顔がよく見えない。

「王女が危ない。あたしにはわかるの」

クリストフがアナをハンスの腕から引きはなした。「アナ、いますぐ村に帰ろう」ハンスのほうを向き、こう続ける。「昨日もこんなふうにたおれたんだが、村には帰らないといいはって。いい出したらきかないんだ。でも、これ以上旅を続けたら危険だ。あたたかいところで休ませたほうがいい」

痛みはすぐに引いた。アナはクリストフのいうことを無視した。「ただの頭痛よ。たいしたことない。それより谷に行かなくちゃ。どうしてだかわからないけど、エルサ王女の身に危険がせまってる気がするの」

「危険？」オラフがおびえた顔でいった。

「谷？」ハンスがたずねた。

クリストフが説明した。「オラフは最初、エルサ王女はノースマウンテンにいるだろうと推測してたんだが、やっぱり〈リヴィング・ロックの谷〉にいるっていい出してな」ハンスをするどい視線で見つめる。「エルサ王女は、この谷についてなにかいってなかったか？」

ハンスは少し考えてから口を開いた。「いや、残念だがなにもいってなかったと思う」そう答えてアナを見つめる。「だが、もしエルサがその谷にいて危険にさらされているなら、見つけ出さなきゃならない。いま、馬はこのシトロンだけしかいないが、金はあるから、どこかできみがのる馬も手に入れて、いっしょに谷を目指そう」

「それで、エルサ王女を説得すればいいのよね。いっしょに城にもどって、王国のみんなを助けてって」アナは気持ちを落ち着かせようと、深呼吸した。痛みはもう消えていたが、さっき聞いた王女の声はまだ耳に残っている。王女になにが起きているの？

ハンスがうなずいた。「そのとおり。それにエルサが女王になりたくないなら、王位を正式に放棄すればいいだけの話だ。だが、とにかく冬を夏にもどしてもらわないと」

クリストフが話に割ってはいり、アナに訴えた。「おい！　そんな状態で谷に行くなんて無理だ」アナの腕にふれてこう続ける。「アナ、きみの身になにかが起きている。それがなんなのかはわからないが、いまは休んだほうがいい」

アナは真剣な表情でクリストフを見つめた。「だれかがこの冬を終わらせなきゃ。そして、それは……あたしだって気がするの」

「だが、王女に会ったことすらないじゃないか。王子のいうとおりだったらどうするんだ。王女が怒ったら、きみを傷つけるかもしれないんだぞ」

「エルサ王女はそんなことしない」アナはきっぱりといった。吹きつけてきた風にあおられて、よろけそうになる。ハンスが、ぼくにつかまって、というふうにひじを曲げてアナにつき出した。

「クリストフ、まだ村に帰るわけにはいかない。この王国には助けが必要よ。なんとかしなきゃ」

「ぼくもその意見に賛成だ」ハンスがうなずいた。

「あんたの意見はきいてない」クリストフがいうと、スヴェンも鼻を鳴らした。クリストフはアナを見た。「どうかしてるぞ！　知り合ったばかりの男といっしょに行くつもりなのか！」

「あなたとのときだって、そうだったじゃない」アナがいうと、クリストフはだまりこんだ。

ハンスがいった。「レディに向かってどなるのはやめたほうがいいんじゃないかな。アナは聡明で見識があるし、この王国を救おうとする勇気もある」

「ありがとう」アナがいった。

ハンス王子は気むずかしくないし、優柔不断でもない。エルサ王女を連れてかえれるかわ

からない不安もあるはずなのに、あきらめずにさがしつづけている。きっと、王子なら王女を説得できる。王女を見つけたとき、王子もいっしょにいたほうがいい。

「アナ、頭を冷やせ！　荷物もみんなどっかにいって、そりもばらばらにぶっこわれた。おまけにこんな天気のせいで、みんな少しおかしくなってる」クリストフの口調がだんだん怒りを帯びてくる。「王女の居場所もよくわからないのにさがしつづけるなんて無理だ！　雪だるまの勘だけがたよりなんだぞ！」

「エルサの居場所なら知ってるよ！　男の人が手紙を読んでるのが聞こえたとき、〈リヴィング・ロックの谷〉っていってたんだからぁ」オラフがいった。

「ぼくが手紙を読むのを聞いてたのかい？」ハンスがさぐるような口調できいた。

「あれはハンスだったんだね！　なんで気づかなかったんだろう。ハンスはいっつもエルサにやさしくしてくれたよねぇ」オラフがうれしそうにいった。

「アナ、村へ帰ろう」クリストフは繰りかえした。

あたしのしようとしていることがどれほど大事か、どうしてクリストフはわかってくれないんだろう。このまま村に帰って、うまくいかなかったって父さんと母さんに伝えろっていうの？　それに、永遠に続くような冬を、ハーモン村の人たちが生きのこれるわけがない。

でも、そうか。クリストフはハーモン村とはなんの関係もないものね。あそこはあたしが育った村。クリストフは氷の配達のとちゅうで立ちよっただけだもの。あたしみたいに、村の人たちを心配する必要なんてない。クリストフが大切なのはスヴェンだけ。アナはきっぱりといった。「谷へ行く。ハンス王子と旅を続けるのだってなんの問題もない。だから……クリストフもいっしょに来るよね？」

クリストフは、もうお手上げだというように両手をあげた。「いいか、谷をよく知ってるおれでさえ見つけられないほどひどい吹雪なんだ。それに、おれはまだ具合が悪くなってない。だから、いまのうちにみんなで引きかえしたほうがいい」

アナは有無をいわさぬ口調でいった。「あたしは行く。ハンス王子も。みんないっしょよ」

「断る。三人でなんとかできるだろ。おれは壊れたそりを見にいく。回収できるものがあるかもしれないからな。スヴェン、行くぞ」クリストフは背を向けて、大股で去っていく。

スヴェンはアナからクリストフに視線をうつし、悲しそうに鳴いた。

「いいのよ、スヴェン」とアナは声をかけた。クリストフの決意を変えられなかったことにとまどいながらも、表情には出さずにこう続ける。「クリストフのところへ行って。あたしはだいじょうぶだから」そういって、スヴェンがクリストフを追って森へ消えていくのを見ま

もった。

「クリストフとスヴェンがいないとさびしいよぉ」オラフはしょんぼりしている。

あたしも、とアナは心のなかでつぶやいた。

ハンスが首を横にふった。「まったく信じられないよ。こんなところにきみを置きざりにするなんて」

「あたしはだいじょうぶ」アナはきっぱりといった。

「思ったとおり、きみには生まれながらにして人の上に立つ資質(ししつ)がある」ハンスがじっと見つめてくるので、アナは顔が赤くなるのを感じた。ハンスが遠くに見える煙(けむり)を指さした。「あそこに山小屋がある。今夜はあそこで休ませてもらおう」手を差し出して、アナがシトロンにのるのを手伝う。アナがシトロンの背(せ)にまたがると、オラフをアナの前にのせ、ふたりの後ろにすわった。

「アナ、ぼくたちはいいチームになれそうだね。ぼくにはわかるんだ」

「あたしもそう思う」アナはそっとほほえんだ。

チームか。それも悪くない。

24 エルサ

ひどい頭痛がして、エルサは目を開いた。

どうしてこんなに頭が痛むのだろう。

ああ、そうだ……。つぎつぎと記憶がよみがえってくる。ハンスが腹黒い正体をあらわにしたこと。アナの居場所をつきとめようとしているハンスをとめるために、宮殿を逃げ出そうとしたこと。氷のシャンデリアがくだけちり、もう少しで破片がつきささりそうになったこと。宮殿の外に衛兵が待ちかまえていたこと。彼らの目的は、わたしをアレンデール城に連れもどし牢獄に閉じこめることだったのだ。もっと早くそれに気づいていれば。

体を起こすと、かけられていた毛布が落ちて鎖が見えた。両手に鉄の手かせがはめられている。手を使えないようにするためというより、魔法を使えないようにするためなのだろう。手かせとつながっている鎖の先は壁に固定されていて、少ししか動けない。外れるかもしれない、と鎖を引っぱってみたけれど、やっぱりだめだった。

けっきょくまた、こうして城に閉じこもる身になってしまった。

鎖につながれていても窓のそばまでなんとか歩いていけたので、外の景色に目を凝らした。アレンデールは一面、雪におおわれていた。いいえ、雪にうずもれているといったほうがいいかもしれない。屋根の上まで雪がふりつもり、もはやどの家も見えなくなっている。どこかから大きな音がした。なにかがたおれたのだろうか。家？　ブロンズ像？　それとも船？　フィヨルドを見やると、停泊していた船が横だおしになったまま凍っていた。でも、どうすることもできなかった。あせればあせるほど、吹雪がはげしくなってしまう。指先がひりひりしはじめたかと思うと、短剣のような氷が床からつき出し、壁がうめくようにきしんだ。

みんなどこにいるのだろう。あたたかくしてすごせているだろうか。戴冠式の日、城の前庭でこわがらせてしまった母親と赤ちゃんが頭に浮かぶ。あの親子はだいじょうぶだろうか。

アナは？

不安におそわれ、目を閉じてつぶやく。「わたしはなんてことをしてしまったのだろう」

お母さま、お父さま、お願い。この呪いがとけるよう助けてほしいの。これ以上、王国を危険にさらしたくない。アナの記憶をとりもどせるよう力を貸して！

でも思ったとおり、返事は返ってこなかった。

やっぱり自分でなんとかするしかない。そのためには、ここからぬけ出さなければ。そして、アナに近づくことなく真実を伝えられれば、アナの記憶を呼びさませるかもしれない。真実を証明する、あの手紙があればよかったのに。鉄の手かせに意識を集中させると、手かせが光り出した。割れて！　割れなさい！　でも手かせは割れずに凍り出し、動かすことすらまともにできなくなった。

いったい、どうすればいいのだろう……。

「エルサ？」

エルサが顔をあげると、ピーターセン卿が牢獄の扉にある鉄格子のはまった窓の向こうから顔をのぞかせていた。

「ピーターセン卿！」エルサは思わず声をあげた。すると、みるみるうちに手かせをおおいはじめていた氷がぴたりととまった。扉に駆けよったが、とちゅうで鎖にぐいっと引きもどされた。

「だいじょうぶかい？」ピーターセン卿が鉄格子をにぎりしめながらいった。

オラフをのぞいて、家族のように接してくれたのはピーターセン卿だけだ。お父さまは、自分の命をあずけられるほどピーターセン卿を信頼していた。わたしだって、同じようにできるはずよ。

「お願いがあるの。どうしても見つけ出したい人がいるのよ。父と母から、もうひとり娘がいると聞いたことはない？　年はわたしより少し下で、赤毛なの。名前はアナ」

ほんの一瞬、ピーターセン卿の茶色の瞳がゆれた。「どこかで……その名前を聞いたことがある気がする」

「ほんと？」エルサはもっと近づこうと壁につながれている鎖をぐいっと引っぱった。「アナを覚えてる？」

「いや、すまない。だれのことを話しているのかわからない」ピーターセン卿は答えた。外から吠えるように風が吹きつける音が聞こえてくる。「この王国の王位継承者はエルサだけだろう」

「ちがうの！　ピーターセン卿、その子を見つけないといけないの！　年はわたしよりも少し下よ。お願いだからすぐにさがして！　ハンス王子より先に見つけないと」

「ハンス王子？」ピーターセン卿がとまどいの表情を浮かべた。

「ええ。ハンスのいうことを信じたらだめ！　ハンスがこの王国に尽くしているのは、ほかに目的があるからよ」エルサはもっといいたいことがあったが、ピーターセン卿をこわがらせたくなかったので、それ以上はいわなかった。「いまのわたしの言葉に説得力がないのはわかっ

てる。だけど、信じて」

「こんな吹雪のなか、だれかをさがしにいくなんて無理だ。薪も食べ物ももうすぐ底をつく。みんな寒さに凍えているし、だれもが生きぬこうと必死だ。ハンス王子はきみを追いかけていったきり、まだ帰ってこない」

「ハンスはどこにいるの？」エルサの手かせがまた光り出した。

「だれにもわからない。それにこの吹雪では、だれかをさがしにやることもできない。こんな寒さのなかずっと外にいたら、馬だって命を落とす危険がある。城にもどってきたのは、きみをここへ連れかえってきた衛兵たちだけだ。残念なことに、ウェーゼルトン公爵が先に出むかえてしまい、衛兵たちをうまくまるめこんで、きみをここに閉じこめてしまった」ピーターセン卿の目に怒りが浮かぶ。「きみがつくった氷の宮殿で、なにがあったのかも聞いたよ。そのせいで、衛兵たちはすっかりおびえている。きみがここにいることも、さっき知らされたばかりだ。公爵はなんの権限もないのにこんな勝手なまねをして。いずれその報いを受けることになるだろう」

「だったらここから出して」エルサが外そうと引っぱると、手かせがさらに強く光った。「自分でアナをさがしにいくから」

「この牢の鍵をさがしまわったのだが見つからない」

エルサはがっかりした表情を見せないようにした。「ピーターセン卿ならきっと見つけてくれるわ。いつもわたしの力になってくれてたもの」

「きみはすばらしい女王になるとずっと信じてきた。いまこそ、きみの力でこの王国を救ってほしい。夏にもどしてくれ。もうこれ以上もちこたえることはできない」

エルサは力なく両腕をさげた。「どうしたらいいかわからないのよ」

「きみは、あのお父君の娘だ」ピーターセン卿は力強い声でいい、エルサの目をまっすぐに見つめた。「きみなら自分の心のうちを深く掘りさげて、この吹雪をとめる方法を見つけられるはずだ。みな、ずっとしんぼうしてきたが、もう限界だ。いま、かつてないほどエルサを必要としているのだ」

〝もう少ししんぼうするしかない〟というパピーの言葉が頭のなかで響く。

外は雪が吹きあれて、さらにはげしさを増している。しんぼうする時はもう終わりにしよう。アナの失われた記憶をもどし、呪いをとかなければならない。それがきっとこの王国を救うゆいいつの方法なのだろう。でもそのためには、アナの助けが必要だ。

「わかってるわ。わたしだって一刻も早くこの冬を終わらせたい。でも、ひとりではできない

の。力を貸してくれる人を見つけないといけないのよ」

「エルサ、だが――」

「話はそこまでだ！」

廊下がにわかにさわがしくなり、わめき声が聞こえた。ピーターセン卿が鉄格子から無理やり引きはがされる。エルサがいる場所からは、外のようすがわからない。とつぜん、だれかの頭がちらりと見えた。白髪のかつらが風にゆれてはためいている。

「わしをもちあげろ！」とだれかがわめく声がした。

鉄格子の向こうにウェーゼルトン公爵があらわれ、こういいはなった。「エルサ王女、そなたはこの王国にとってとてつもなく危険な人物だ。決してここから出しはせぬ」

25 アナ

ハンスは山小屋で必要なものをそろえ、アナがのる馬を借りた。山小屋の持ち主の夫婦は、今夜はわが家にお泊まりください、といってくれた。夏の猛吹雪という異常な事態のさなかなので、オラフを見てもまったくおどろかなかった。翌朝、夫婦は、このまま旅を続けるのはおやめください、と訴えた。

山小屋の主人がいった。「このあたりの山道は、どれほどいい天気だろうと危険なんです。ですから、こんな猛吹雪のなか旅を続けるなんて無理に決まってます」

妻もいった。「それに、雹まで降ってきましたよ。城では王子であるあなたがおもどりになるのを待っているのではありませんか？　お願いですからハンス王子、城におもどりください」

「この人たちのいうとおりかもしれない」ハンスは山小屋の窓から外を見ながらいった。見わたすかぎり真っ白だ。「吹雪はますますはげしくなっている。急がないと、城にもどれなくなってしまう」

「このまま旅を続けよう。この冬を終わらせるには、エルサ王女を見つけるしかないんだから」

アナはいいはった。
〝お父さまのために、ひとりでクッキーを焼いてみたいの！〟アナの頭のなかで女の子の声がした。
〝ミス・オリーナを待とうよ〟べつの女の子の声もする。
・・・オリーナってだれ？
「だが、エルサがひとりにしてほしいと思っていたとしたら？」ハンスがいった。夫婦が暖炉に最後の薪をくべる。「こんなこと聞きたくないかもしれないが、エルサは自分のことしか考えてない。きっと、王国を雪と氷に閉じこめるつもりだ」

〝閉じこめる〟そう聞いた瞬間、アナの頭が割れるように痛み、金色の髪の女の人が鎖につながれている場面が浮かんだ。鎖の先は壁に固定され、窓の外は雪が降りしきっている。女の人はとても傷ついているようだ。あれはエルサ王女？

「どうかした？」ハンスがたずねた。

「なんでもない」アナは、いま見たことはだまっていることにした。「ちょっと頭が痛いだけ」

「きみの友だちのいうとおりかもしれない。やっぱり、この寒さが体にこたえてるんだよ」ハンスは少しいらついた声でいった。「身動きがとれなくなる前に、城にもどろう。そして吹雪

がおさまるまで、いっしょに城で待機すればいい」

「吹雪はおさまらない」アナはいいかえした。あたしがエルサ王女に力を貸すまでは。

アナははっと息をのんだ。どうしてこんなことを考えたんだろう。すると、またもや目の奥に閃光が走り、おさないころの自分が、雪や氷でおおわれた広い部屋で雪山をすべっている場面が頭に浮かんだ。どうして身に覚えのない記憶がよみがえってくるの？

ハンスは眉をひそめた。「そうだね。エルサはこの王国の人たちが苦しむすがたを見たいだろうから」

「まさか！　エルサ王女がそんなことを望むはずがありません。そうですよね？」妻がたずねた。

エルサ王女を愛している人が、こんな言い方をするだろうか。ハンス王子の態度はどこかおかしい。たしかにとびきりハンサムだけれど、エルサ王女のことを悪くいってばかりいる。アナのいらだちが高まっていく。

「そうよ。王女がそんなことを望むわけない。王女はおびえてるんだと思う。話さえできれば、状況がさらにひどくなる前になんとかできるはず。だから、少しでも早く王女を見つけるために旅は続ける」アナはきっぱりといった。

ハンスはため息をついた。「きみが傷つくのを見たくないんだ」

オラフが口をはさんだ。「エルサはアナを傷つけたりしないよ。だってエルサはだれよりもアナのことが好きなんだから」

アナとハンスがそろってオラフを見た。そのとき、山小屋の戸がバンッと開いて突風が吹きこんできて、オラフの頭がふっとんだ。夫婦があわてて戸を閉めて錠をかける。

「ねえ、悪いけど、今度はからだまでとんでいかないように、ぼくのおしりを押さえててぇ」

オラフの頭がハンスにいった。

アナは考えにふけっていた。

あたしが雪の夢を何度も見たのはなぜ？

なんで雪だるまのクッキーをつくったんだろう？

どうしてこんなにアレンデールに引きつけられるの？

オラフという名前に聞きおぼえがあったのはなぜ？

それに、身に覚えのない記憶がとつぜんよみがえってきた。

頭のなかに声も聞こえてきた。

どうしてなの？　考えていると背中がかゆいのに手がとどかなくてかけないときのようにもどかしい。

もしかしたら、エルサ王女があたしに助けを求めているとか？　王女があたしにそばにいてほしいと思ったときに記憶が浮かんだり、声が聞こえたりするのかもしれない。なぜだかわからないけれど、エルサ王女とあたしのあいだには、なにか結びつきがある気がする。王女を見つけ出して、それがどんな結びつきなのかたしかめなきゃ。

　そのとき、山小屋の戸をたたく音がして、みんながはっと顔を見合わせた。ハンスが剣に手をかけ身がまえる。

「戸を開けてくれ」ハンスは山小屋の主人にいった。

　主人が戸を開けると、緑色の制服すがたの衛兵がたおれこんできた。

「まあ、たいへん！」妻が声をあげ、アナは衛兵を助けおこそうといっしょに駆けよった。主人は強風にあらがいながら、やっとのことで戸を閉めた。

　衛兵はハンスに気づくと目を見開いた。「ハンス王子！　心配していたんですよ」衛兵の声はかすれ、顔は冷たい風にさらされていたせいで赤くなっている。「戦いのあと、すがたが見えなくなったので、どこに行ってしまわれたのかと、ずっとあちこちさがしていたんです。ですが、この雪と寒さのせいで馬もなかなか前に進めず、そしたら山小屋が見えて――」

　山小屋の主人が服を重ね着しはじめた。「馬を納屋に入れてきます」そういって、ブーツを

はいて戸に向かった。

「戦いって?」アナがたずねた。

ハンスはアナの質問には答えず、衛兵を暖炉のそばに連れていった。

アナは続けた。「なにがあったの? 城でなにかたいへんなことでも起きたの?」

妻が衛兵を毛布でくるむと、衛兵はふるえながら、ありがたそうに毛布を体に巻きつけた。

そして、ひとりひとりの顔を順々に見ていき、ふたたびハンスを見た。「王子とふたりきりで話したいのですが」

「ええ、もちろんです」というと、妻はアナの肩に手をまわした。「さあ、あなたももっとあたたかい服を着たほうがいいわ。さがしにいきましょう」

だが、アナはその場を動かなかった。いまは隠し事なんかしてる場合じゃない。

アナは衛兵にたずねた。「なにがあったの? なにをかくしてるの?」

ハンスがためらいがちに口を開いた。「ノースマウンテンで雪崩があったんだよ。ようやくここまでたどりついたきみをがっかりさせたくないが、こんな危険な状況では谷に向かうのは無理だろう」そう話すハンスの顔を衛兵はだまったまま見つめている。

ハンス王子はなにかをごまかそうとしてる。とびきりハンサムだけれど、やっぱりどこか信

用できない。

いいかえそうと口を開きかけたとき、とつぜん骨(ほね)がうずくような痛(いた)みを感じた。城があたしを呼(よ)んでいる。エルサ王女はもう谷にはいないし、ノースマウンテンもずっと前に立ちさっている。なぜそれを知っているのか自分でもわからなかったが、アナは自分がこう感じていることをだれにもいうつもりはなかった。

「わかった。城にもどろう。そして、そこで吹雪(ふぶき)がおさまるのを待てばいい。城に行けば、なにか手がかりが見つかるかもしれないもの」

「わーい！　アナに会えたら、エルサはすっごくよろこぶだろうな！」オラフがいった。そんなオラフをハンスはじっと見つめている。「アナをずっとさがしてたんだからぁ」そうオラフがいうのを聞いても、アナはもう顔色ひとつ変えなかった。

ハンスは笑みを浮(う)かべた。「前にもいったように、きみには生まれながらにして人の上に立つ資質(ししつ)がある」

「さあ、どうかな」アナはいった。

ハンスはアナから目をそらさずにいった。「ぼくにはわかる。さあ、城にもどろう。そうすればきみにもわかるさ」

26 クリストフ

クリストフは使えそうなものが残っていないかたしかめるために、そりが落ちた場所へ向かってとぼとぼと谷をおりていた。「なあ、スヴェン、おれはつくづく思い知ったぞ！　おまえがいれば、人間の仲間なんて必要ない」

スヴェンは低い声でうなった。木のあいだから、またオオカミがおそってくるのではないかと気が気ではなかったのだ。だが、ありがたいことに、雲間から差す月の光と雪明かりのおかげで、暗いなかでも、かなり遠くまで見通すことができる。

これでよかったんだ。

そう思ったからこそ、アナを口のうまい王子と雪だるまといっしょに行かせた。アナは王女をさがし出すつもりでいるが、王女はひとりになりたくて逃げ出したんじゃないのか？　見つかるかどうかもわからないのに、おれとスヴェンの命を危険にさらすわけにはいかないじゃないか。

そりゃ、おれだって夏をとりもどしたいさ。ここまで氷だらけだと、まるで商売にならない

しな。だが、こんな天気には慣れっこだ。雪にまみれ、分厚いウールの服を着て、汗くさくて重いブーツをはいて、毎日のように山ですごしてきたんだから。それに、もう汗くさいかどうかなんて気にしなくていい。おれのにおいをかぐ相手なんかいないのだ。いるのはスヴェンだけ。トナカイだって、おせじにもいいにおいとはいえない。だから、冬が永遠に続くならそれでいい。どうせ、おれにはどうすることもできないんだし。

だが、アナは寒さのせいで弱っていた。おそらく低体温症か凍傷だろう……。いや、そう思いこもうとしていただけで、ほんとうはそうじゃないのかもしれない。エルサ王女とかかわりのある場所に近づけば近づくほど、王女との結びつきが深まっていくかのようだ。まるで魔法にかけられたみたいに。

魔法なんて、とばかにするやつがいるなら、そうさせておけばいい。だがおれは、魔法はほんとうに存在すると知っている。

魔法にかこまれて育ったんだから。

それをアナには教えなかったが……。だって、あんなにいらいらさせられるやつに、どうして教えなきゃいけないんだ？　ぺらぺらぺらぺらしゃべりつづけて、おれとスヴェンだけじゃなく、会う人、会う人、だれにでも話しかけるんだぞ！

アナは思いついたことはすぐに行動にうつす性格で、気も強い。だから、いいくるめられて、おれもアレンデールに行くはめになった。あのはねっかえり娘は、自分がこの冬を終わらせられると思ってる。どうすればエルサ王女を見つけられるのかも、どういえばエルサ王女にこの異常な冬をとめさせられるのかもまったくわからないくせに。

谷底に近づくにつれ、そりの残骸が視界に入ってきた。現実を直視したくなくて、スヴェンに目をやった。「人間っていうのは、どいつもこいつも、相手をだまして利用することしか考えてない」いつものようにトナカイになりきって声を低くしてこう続ける。「そうだ。人間はみんな悪者だよお！　クリストフ以外はねえ」

スヴェンの鼻先をなでた。「おう、ありがとよ。相棒。さてと、使えそうなものをさがすとするか」

目の前に広がる光景を見てため息をもらす。愛用のそりは木っ端みじんになっていた。リュートも壊れている。ピッケルが見あたらないのは、どこかにとんでいってしまったからだろう。わずかな食べ物も動物たちが食べつくしている。使えそうなものはあまり残っていなかったが、念のため、ひとつひとつたしかめた。そしてすべてすむと、スヴェンの背にまたがった。

「さてと、これからどうする、スヴェン？　あの谷を見つけるのは無理だと思ってたんだが、

ほかに選択肢はないしな。それに、おまえをこの吹雪から解放してやりたいし」クリストフはあたりを見まわした。「そう遠くないはずだ。きっと見つかるだろう」

スヴェンは動こうとせず、鼻を大きく鳴らした。

「ああ、アナならだいじょうぶだ。きっといまごろ山小屋に着いてるさ。遠くに煙が見えたし。だが、おれたちは山小屋へ向かってアナたちと合流するつもりはない。ほら、行くぞ。心配するな」

スヴェンは首をまわしてクリストフをじろりとにらみつけた。

「もう、アナの手助けはしたくないのかあ」クリストフがスヴェンの声でいった。

「もちろん、助ける気なんかない！」クリストフは手綱をつかんで、谷をのぼりはじめた。「まったく、こんな目にあうんだったら、人助けなんてもう二度とごめんだ」

クリストフがスヴェンの背にまたがって谷をのぼっていると、雪がはげしく吹きつけてきて、視界が真っ白になった。こんなときは勝手知ったるあの谷に帰るのがいちばん賢い選択だが、それはアナが目指すのと同じ場所に向かうということでもある。

スヴェンがまた鼻を鳴らした。

「ああ、そうだな。あの谷にはアナも向かうはずだ」とクリストフがいうと、スヴェンはクリ

ストフをちらりと見た。「わかってるさ、どの面さげてアナに会うつもりなんだっていいたいんだろ？　どうせあの谷に行くなら、みんなで行けばよかったじゃないかって」

スヴェンはさらに大きく鼻を鳴らした。

「まあ、あのハンスって王子も、まったく見ず知らずのやつってわけじゃないんだし。なんてったってエルサ王女の王子さまなんだから」クリストフはやれやれと目をくるりとまわした。「わかったよ。アナといっしょに行ったやつのほうが正しかったたっていえばいいんだろ？　ほんと……おれはばかだったよ」

クリストフは罪悪感におそわれ、手綱を引いてとまった。スヴェンがなにかいいたそうにとびはねる。

「どうしろっていうんだ。アナのあとを追えっていうのか？　それとも谷に行ってアナにあやまればいいのか？」

スヴェンはクリストフをじっと見つめている。

「わかった。こんな吹雪のなか、アナを追うのは無理だ。谷に向かって、アナに会えたらあやまる。これでいいか？　そうだな。おまえのいうとおり、おれがまちがってた」

谷に向かっているあいだずっと、クリストフは自己嫌悪にさいなまれていた。アナはこんな

吹雪のなか、よく知りもしない男といっしょにいる。アナがおれを必要としているときに、おれはアナを置きざりにしたんだ。バルダに、そんなんじゃガールフレンドなんて一生できない、といわれたことがあるが、たしかにバルダのいうとおりだ。

　進むにつれ、だんだん雪が湿り気を帯びてきた。それにしても、アナがいないとなんて静かなんだ。ああしろこうしろといわれることもないし、好物のサンドイッチについて聞かされつづけることもない。もちろん、黒焦げにされそうになることもない。

　けっきょくのところおれは、仲間がほしかったのかもしれない。オラフみたいなやつでも。こんなことスヴェンにはいえないが。

〈リヴィング・ロックの谷〉に着くまで数時間かかったが、手にできたまめのようになじみのある道だったので、これほどの雪におおわれていても、わが家同然の場所の目印である、奇妙にならんだ岩を見落とすことはなかった。近くまで来ると、クリストフはスヴェンの背からとびおり、岩だらけの道を谷に向かって歩いていった。

　谷には雪が降っていなかった。空気もあたたかい。地面は緑の苔でおおわれ、露にぬれる苔のにおいが鼻先にただよってくる。霧が立ちこめるなか、谷間の開けた場所へ続く石段をおりていった。すると、いくつもの岩ががたがたとゆれ出した。スヴェンが舌を出しながら、う

れしそうにとびはねる。クリストフが両ひざをたたき、こっちだ、と合図するなり、たくさんの岩がごろごろと転がってきて、目の前でとまると、つぎつぎとトロールにすがたを変えた。
「お帰り、クリストフ！」バルダという、いちばん前の真ん中にいた女のトロールが大きな声でいった。バルダはクリストフの育ての親だ。クリストフを抱きしめようと腕をいっぱいに広げる。クリストフが近づいていくと、バルダはその脚に抱きついた。首飾りの赤い水晶は、前回おとずれたときよりも大きくなっているようだ。そのうちのいくつかが光り、緑色の苔の服がオレンジ色に染まる。
　すがたを変えたおおぜいのトロールたちが、うれしそうに声をあげた。クリストフを見たくて、われ先にと押しよせる。「わーい！　クリストフが帰ってきた！」
　おさないころからクリストフにとって、トロールたちは家族みたいなものだった。児童養護施設での生活は、クリストフのように自由を求める心の持ち主には合わなかった。それで、機会を見つけてはこっそり施設をぬけ出し、アレンデールの氷職人のあとをついて山へのぼっていって、男たちの仕事ぶりをながめた。そんなことを繰りかえしているうちにあるときスヴェンと出会い、スヴェンは無二の親友となった。そのあとは、もう施設にもどりたいとは思わなかった。スヴェンと新しい人生を始めたかったのだ。やがて、じっさいに氷職人としてわずか

ながらも稼ぎを得られるようになった。

そして、ある夏の夜のこと、氷を切り出そうとしていたクリストフは見慣れない氷を見つけた。それは山腹の草地で、ひび割れるような音を出しながら光を放っていた。クリストフとスヴェンは好奇心をかきたてられ、不思議な氷のそばの道を進んでいった。その先に、〈リヴィング・ロックの谷〉があったのだ。そして、クリストフとスヴェンを見つけたバルダが、すぐにどちらとも養子にした。考えてみると、なぜ真夏にあんな氷があんな場所にあったのか、バルダに一度もたずねたことはなかった。

「ほーら、顔をよく見せておくれ！」バルダがいい、しゃがむように身ぶりでしめした。クリストフが片ひざをつく。バルダがいった。「おなかがすいてないかい？　ちょうど石のスープができあがったところなんだよ。もってきてあげようか」

「遠慮しとく」クリストフはあわてていった。石のスープが大嫌いなのだ。ちっとものみこめやしないから。「食べたばかりなんだ。みんなに会えてうれしいよ。だれかここをたずねてこなかったか？」あたりを見まわしながらアナをさがす。

バルダがいった。「だれも来やしないよ。なんでだい？　だれか来ることになってるのかい？」

女の子を待ってるなんていったら、しつこく質問ぜめにされるに決まってる。「いや、べつ

に……ところで、パピーは？」

「お昼寝してる」クリストフの従弟のようなトロールのひとりがいった。「ねえ見て！　キノコ生えたよ！」苔におおわれた背中に生えたキノコを得意げに見せる。

「炎の水晶をもらったんだ」べつのトロールが赤く光る水晶をかかげた。

「腎臓から結石が出たんじゃ」クリストフがおじのように慕っているトロールのひとりが、これだぞ、と石を見せる。

「おなかをすかせてあたしの手料理を食べにきたんじゃないなら、なんの用だい？」バルダがきいた。

バルダの目はそうかんたんにはごまかせない。

だが、クリストフはとっさにうそをついた。「みんなに会いたかった。それだけさ」

バルダはさぐるような目つきでクリストフを見てから、ほかのトロールたちを見た。「あたしの勘じゃ、なにか女の子が関係してるよ！」

ほかのトロールたちも、そうだ、そうだ、と声をあげる。

「ちがう、ちがうったら、ちがう！　誤解だって！」クリストフがあわてていった。顔が赤くなっている。

　スヴェンが大きく鼻を鳴らし、地面を蹴って音を出すと、まわりにトロールたちが集まってきた。

「まちがいない。やっぱり女の子だ！」とバルダがさけぶと、ほかのトロールたちも、女の子だ、と口をそろえた。

　クリストフはうんざりと目を上に向けた。「みんな、たのむよ！　女の子をさがしにきたんじゃない。そんなことよりもっと大事な問題が起きてるんだから。いま、王国じゅうが――」

「雪におおわれてるんだろう？」バルダがいった。「そんなこと知ってるよ。それより、あんたの話を聞かせておくれ！」

　クリストフは口をぽかんと開けた。「なんで雪のこと知ってるんだ？」

　バルダはクリストフの質問を無視した。「その娘が好きなら、どうしていっしょに連れてこなかったのさ。そのむすっとした顔がこわいって、逃げられちゃったのかい？」

　クリストフはいいかえした。「ちがう。おれのことはどうでもいい。ここに来たのは――」

「その娘に、おれみたいないい男にはこの先も会えないだろうっていってやりなよ。あたしのクリストフほど思いやりがあってやさしい男はほかにはいないんだから」

　クリストフのいらいらが高まっていく。「おれや女の子のことはどうでもいい！　王国が危

ないんだ！　この谷から見えないのはわかってるが、谷の周辺だけじゃなく、王国じゅうが雪におおわれてるんだぞ。真夏なのにな！」トロールたちは目をぱちくりさせながらつっ立っている。「季節外れの冬をどうやって終わらせればいいのか、知ってるなら教えてくれ！」

小さいトロールがバルダの服を引っぱった。「ねえ、あの女の人がここに来たことはだれにもいうなって、パピーがいってたよね？」バルダが顔をしかめる。「どうしたの？　秘密だっていってなかったっけ？」

「アナのことをいってるのか？　ここにきたのか。王子もいっしょに？　いつここを去ったんだ」クリストフはトロールたちにつぎつぎと質問をあびせた。

そのとき、大きな岩が転がってきてトロールにすがたを変えた。パピーだ。パピーは手をのばしてクリストフの手をにぎった。

「クリストフ、いいところに来てくれた！」パピーがしわがれた声でいった。

「アナはいまどこにいるんだ。ぶじなのか。おれのことを怒ってなかったか」クリストフはばつが悪そうな顔でバルダをちらりと見た。「アナを置きざりにするべきじゃなかったのはいわれなくてもわかってる。真夏に吹雪なんていう異常なときにな」

雪なんて慣れっこだなんてふりしてきたが、氷のエキスパートのおれでさえ、このままこの

冬が続いたら、生きのびることはできないだろう。最後にフィヨルドを見たとき、船は氷に押しやられてかたむき、ひびが入っていた。じきに建物もそうなるにちがいない。そうなったら身を守る場所がなくなってしまう。

そのときアナはどうなる？

「それで、アナはいまどこにいるんだ。アナになんていった？」

パビーが眉間にしわをよせた。「アナだと？　わしに会いにきたのはエルサ王女だ」

「アナじゃない？」クリストフはたずねた。不安がじわじわとこみあげてくる。

「そう、エルサ王女だ。王女を助けるために、できるかぎりのことはしたつもりだ。呪いをとく以外はな」

「呪い？」クリストフは繰りかえした。わからないことが多すぎる。

「エルサ王女はいま、重大な危機にさらされている。クリストフ、王女がいる場所へいますぐ向かうのだ」

「王女がいる場所だって？」クリストフはパビーの言葉を聞いて混乱した。「そこをずっとさがしてきたんだ！　だが、だれも王女の居場所がわからない。王女を知ってるっていうしゃべる雪だるまでさえな。それに、アナとハンスっていう名前のエルサ王女の王子もここに向かっ

ていたはずなんだ」クリストフは谷間を見まわした。「おれが着くころには、もうとっくに着いてるはずだと思ってたのに」

「アナはここには来ない。城に向かっている」

クリストフはおどろいて、あとずさりした。「アナを知ってるのか」

「アナの心を守らねばならない。アナはいま不安定な時期だ」

「わかってるさ。どんどん具合が悪くなっていくんで心配してたんだから。なのに、エルサ王女を見つけるまでは帰らないといってきかなくて」

「クリストフ、よく聞くのだ。アナがエルサに引きつけられ、必死になって見つけようとしているのには理由がある。ふたりの結びつきは、おまえが思っているより強い」

「なんとなく気づいてたよ。アレンデールに向かいはじめてから、アナのようすがおかしくなったから……なにか感じたり、へんな頭痛にもおそわれたりして。それにエルサ王女がつくったしゃべる雪だるまはアナを知ってるし。なにもかも、わからないことだらけだ」

パビーがあごをかきながらいった。「アナが？　それはいい兆候だ。長いあいだ封印されていた過去を、アナはようやく思い出そうとしている」

「過去？」そうたずねた瞬間、長い眠りから覚めたあと意識がだんだんはっきりしてくるよう

に、パピーによって消されていた、この王国にはもうひとり王女がいるという記憶がクリストフの頭のなかにゆっくりとよみがえってきた。「えっ？　まさか……」

　パピーがクリストフの手をそっとたたいた。「さよう、ふたりは姉妹なのだ」

「アナは王女だったのか……」

「長いあいだ姉妹を引きはなしていた呪いが、いまようやくとけはじめている！　エルサはすでにアナを思い出しているが、アナが記憶をとりもどす道のりは、それほど平坦ではないようだ。真実の愛はどんな呪いもとくことができる。だが、アナが完全に記憶をとりもどすまで、ふたりを近づけてはならない。これはとても大事なことだ！　姉妹が顔を合わすためには、アナがエルサを思い出す必要がある」

　クリストフはパピーの話を聞きながら、心臓がとまるような思いがした。ふたりを近づけてはならないといったって、アナはエルサに会うのをやめようとはしないだろう。「なぜだ？」

「あまり時間がないから、過去に起こったことを語って時間をむだにするのはよそう。だが、原因は呪いだ。ふたりが姉妹であることを思い出す前にアナがエルサに近づけば、エルサの魔法の力でアナは凍りついてしまう」

「なんだって？」クリストフは自分の声がうつろに響くのを感じた。

「ふたりがおたがいを思う愛がとても強いので、呪いはとけはじめている。エルサは過去を思い出したが、アナはまだすべてを思い出したわけではない。呪いが完全にとけるまで、アナをエルサに近づけてはならぬ」パピーは眉根をよせた。「エルサはこのことを知っている。だから、アナから遠ざかったのだ。だが、だれかが真実に気づき、アナを危険におとしいれようとしている。クリストフ、アナは城に向かった。エルサも城にいる」

クリストフは血の気が引くのを感じた。「だったら……おれがアナをとめなければ！」スヴェンが大きく鼻をならし、とびはねた。「スヴェン、行くぞ！」とさけんで、クリストフは谷の出口に向かって石段を駆けあがった。スヴェンがそのすぐあとを追いかける。

クリストフはパピーやバルダやほかのトロールたちに、別れのあいさつをすることすら思いつかなかった。頭のなかをしめていたのは、たったひとつのことだけだ。なんとしてでもおれがアナの命を守る。

27 アナ

アナがオラフとハンスと衛兵といっしょに城へもどると、そこはもはやもとのすがたをとどめておらず、わずか二日のうちに、城の二階まで雪が降りつもっていた。城の前庭のかがり火はとうに消え、王家のブロンズ像のある噴水は完全に雪にうもれている。強風にあらがいながらなんとか城の扉までたどりつくと、その扉も氷におおわれていた。衛兵がつるはしをもってきてなんとか扉をこじあけ、みんなで城のなかに入った。

暖炉の前に人が集まり暖をとろうとしていたが、寒さにふるえているのはあきらかだった。暖炉の火は消えかけている。ハンスと衛兵は、城に待機していた衛兵たちのほうへ駆けていって話しはじめた。アナたちに気づいた城の召し使いたちが、毛布やあたたかい衣服をあわてて運んでくる。そんななか、アナは動けずにいた。城のなかに入ったとたん、身に覚えのない記憶が頭のなかによみがえってきたのだ。

エプロンすがたの女の人がアナの腕にふれた。「だいじょうぶですか?」

その瞬間、この女の人の記憶がよみがえり、アナははっと息をのんだ。おさないころのあた

しがこの女の人といっしょに広い厨房でクッキーを焼いている。ほかにもだれかいる……あたしより少し年上の女の子だ。おさないあたしが指にやけどをしてしまい、女の子が指を冷やせるよう鍋の水を凍らせる……もしかしてこの女の子はエルサ王女？　アナは息が苦しくなり、胸に手をあてた。そして、このエプロンすがたの女の人はミス・オリーナ？

「アナ！　だいじょうぶかい？」ハンスが駆けよってきた。

「へいきよ」アナはゆっくりと呼吸をととのえた。「ただ……すごくへんな気分で……」とつぜんよみがえってくる記憶はきっと夢なんかじゃない。あたしの身にじっさいに起きたできごとの断片のように思える。どうしていままでわすれていたんだろう。なんとしてでもこの謎をときあかしたいけれど、助けを求めようにも、ここにいるのはよく知らない人ばかり。クリストフがいたら力を貸してもらえるのに。

「ハンス王子はどこだ？」だれかが大きな声で呼びかけた。「城にもどったというのはほんとうなのか？」ウェーゼルトン公爵がおおぜいの人たちをかきわけながら近づいてきた。あたたかそうな帽子をかぶり、マフラーを何枚も巻いている。「ハンス王子！　ぶじでなによりだ。戦いのあと王子を見失った、とわしの護衛たちから聞いて、ずっと心配しておったのだぞ」

「その戦いってどこであったの？」アナはたずねた。歯ががちがちと鳴りはじめた。寒くてた

まらない。

ハンスはアナの質問を無視して公爵にいった。「心配をかけましたが、こうして城にぶじにもどってきました」

公爵はアナに気づくと、けげんな目を向けた。「またおまえか！」

「また会っちゃったわね」アナは体をあたためようと腕をこすりながらいった。

「知り合いなのかい？」ハンスが困惑顔でたずねた。

「知り合いってほどじゃないけど」アナがそう答えたとき、オラフが前に進み出て、公爵が悲鳴をあげた。

「やあ！　ぼくはオラフ。ぎゅーって抱きしめて。ぼく、アナをおうちに連れてかえってきたんだ！　エルサに教えてあげたらびっくりするよ！　エルサはどこ？」

おうち？とアナは不思議に思った。

「だれであろうとエルサ王女に会ってはならぬ」公爵がいった。「エルサ王女を牢獄から出すわけにはいかんのだ！」

「エルサ王女は城にいるの？」アナはそうたずねながら、体の力がぬけていくのを感じていた。ものすごくだるい。

緑色の制服すがたの女の人が前に進み出た。「ハンス王子、お助けください！　公爵はエルサ王女を牢獄に入れてしまっただけでなく、ピーターセン卿まで部屋に閉じこめてしまったのです！」

「ピーターセン卿をいますぐ部屋から出してください！」緑色の制服を着た男の人が大声で訴えた。

ふたりはそろって公爵に抗議しはじめたが、その声はアナには聞こえていなかった。頭のなかに渦巻く記憶に気をとられていたからだ。

緑色の制服と帽子を身につけたべつの女の人がアナの肩に手を置いた。「だいじょうぶですか？」

「ゲルダ？」とアナはかぼそい声でつぶやいた。とつぜん、この名前が頭に浮かんできたのだ。

女の人はおどろいてまばたきした。「ええ、わたしの名前はゲルダですが、どうして……」

かっぷくのいい、髪が薄くなりかけている男の人がゲルダの横に立った。

アナはふるえる手を男の人のほうに向けた。「あなたはカイよね？」

「はい、そうですが……」カイはとまどった顔でゲルダをちらりと見たあと、アナのほうを向いてこういった。「あたたかい服とグロッグをおもちしましょうか？　残念ですが、オリーナが料理できるような食材がもう残っていないのです」

「オリーナ」とつぶやいたとき、アナの頭のなかに、おさないころの自分が城の料理長といっしょに厨房にいる場面がふたたび浮かんだ。

これ以上もう耐えられない。アナはピーターセン卿を解放するよう求める人たちや、そのまわりにいるおおぜいの人たちからはなれ、ひとりになれる場所をさがした。

「どうしましたか？」カイが近づいてきたが、アナは開いている扉の向こうへ駆けていった。

気づくと、肖像画がならぶ場所に迷いこんでいた。そこはとても広い部屋で、木の梁でささえられている天井は左右の壁に接する部分がななめになっていて、そこに青いパネルがはめこんである。長椅子が壁ぎわにいくつか置いてあるだけでがらんとしているが、壁にはいくつもの絵がかざられている。アナは戦場にいる女の騎士の肖像画を見あげた。なぜだかわからないけれど、アナはこの騎士の名前が〝ジャンヌ〟だと知っていた。それだけじゃなく、どの肖像画にも見覚えがある。

アナは苦しくて胸を押さえた。手がとても冷たく、立っているのもやっとで、後ろで扉が開いたことにも気づかなかった。

「アナ！」

ハンスがたおれそうになったアナを抱きとめた。そして、長椅子のひとつに横たえ、頭をべ

ルベットのクッションの上にそっとのせた。アナは苦しくて息もできないほどだった。

「あたし、どうしちゃったんだろう?」アナはうろたえた。

「体がものすごく冷たい……ちょっと待っててくれ!」ハンスは暖炉に火をつけにいった。

アナはしゃべりつづけた。「いろんな場面が見えて、いろんな人の声が聞こえて、一度も会ったことのない人の名前までわかるの! オラフはあたしを覚えてるけど、あたしはオラフを覚えてないはずなのに……なぜだか覚えているような気がする」アナはハンスを見あげた。目から涙があふれ出す。「あたし、どこかおかしくなっちゃったのかも」

ハンスはやさしくほほえんだ。「だいじょうぶだよ。きみはどこもおかしくなんかなっていない」

「ほんとに?」歯ががちがちと鳴ってふるえがとまらない。

「ああ、ほんとだ」ハンスはアナの手に自分の手を重ねた。「きみは、おさないころのことを思い出してるんだよ。養女になる前の記憶を」アナをじっと見つめる。「すぐには理解できないだろうが、この城は、きみが生まれ育った場所なんだ」

「どういうこと?」吠えるように吹きすさぶ風の音が聞こえた瞬間、アナは強く思った。エルサ王女を見つけなきゃ。

「きみは、この王国の王位継承者なんだよ。エルサが魔法できみを殺しかけたから、ご両親はしかたなくきみを手ばなしたんだ」

「うそよ。まさかあたしがこの王国の……。それにエルサ王女が……そんなことするはずない……」自分が感じていることをうまく言葉にあらわすことができない。アナのなかで、なにかがひび割れはじめていた。ハンス王子のいうことはおかしい。でも、王子は真実を語っている、となぜだかアナにはわかった。

〝魔法を見せて！　ねえ、魔法を見せて！〟

アナの頭のなかで、また女の子の声が響いた。うれしそうにせがむこの女の子はあたしだ。

「うそじゃない。きみは覚えてないかもしれないが、ぼくはその証拠をもってる」ハンスはきっぱりといい、アナのそばにひざをついてジャケットのポケットから羊皮紙をとり出した。「これは王妃からエルサに宛てた手紙だ。この手紙に、真実がすべて書いてある」

アナは鼓動が痛いほど速くなっていくのを感じた。手紙に手をのばすと、ハンスはそれを遠ざけた。

「エルサはこの王国にとってとてつもなく危険な人物だし、おかした罪をつぐなわなければならないが、そのせいで、きみが受けつぐべきものがそこなわれたりしない。きみはエルサのつ

ぎの王位継承者なんだよ！　ぼくがなにをいいたいのかわかるだろう？」ハンスはにやりとした。「エルサがいなくなれば、夏はもどってくるはずだ！　そうすれば、ぼくときみとでこの王国を治めることができる」

　アナはなんとか上半身を起こした。体はがたがたとふるえ、心のなかは破裂しそうなほどさまざまな感情が渦巻いている。どうしてハンス王子はこんなことをいい出すんだろう。「あなたは、エルサ王女を……愛してるんじゃなかったの？」

　ハンスは立ちあがり、顔をしかめた。「たしかに王位継承順位からすれば、エルサのほうが都合がいいが、戴冠式をおこなうはずだった日にあんなことが起きてしまい、そのあとけっきょくエルサを救えなかった。だが、この王国には、もうひとりの王女がいる。みんなから慕われていた王妃の手紙を公開し、きみがそのもうひとりの王女だと知れわたれば、みんなきみを大歓迎するにちがいない。わかるだろう？　エルサより先にぼくがきみを見つけたのは運命だったんだ」

「エルサ王女はあたしをさがしてたってこと？　王女はその手紙を読んだの？」アナはよろめきながら立ちあがり、ハンスにつめよった。「エルサ王女は知ってるのね？　あたしが王女の——」アナはその言葉を一度頭のなかで唱えてから声に出した。「——妹だって」心臓がど

きどきと早鐘を打っている。

「ああ、知ってる。ぼくがいままでだまってたのは、きみを守るためだ」

大きな窓の向こうから風がはげしく吹きつけ、窓わくががたがた鳴る音がする。窓ガラスは凍りつき、外は見わたすかぎり真っ白だ。

あたしとエルサ王女が姉妹？

それが事実なら、王女としてすごした日々を、あたしはどうしてすべて思い出せないの？エルサ王女があたしを殺そうとするはずがない。でも、だったらなぜ、あたしは家族とはなれて暮らさなければいけなかったんだろう。

目をかたく閉じて、思い出すのよ、と自分にいいきかせたが、なにも浮かんでこない。アナはハンスにいらだちをぶつけた。「エルサ王女があたしを殺しかけたことを知っていたくせに、あたしを王女に近づけようとしたの？」

ハンスははっとし、まばたきを繰りかえした。「いや、ぼくは……王妃の手紙には、あやまってあたってしまったと書いてあったんだが……」

ハンス王子はなにかかくしてる。「だったらその手紙を見せて。自分で読んでたしかめるから」

ハンスは手紙をポケットにもどした。「きみは気が動転してる。ひとまず落ち着いたほうが

いい。手紙はぼくがあずかっておくから」

アナはかっとなった。「エルサ王女とのことが思うようにいかなかったから、あたしにのりかえて、くどき落とそうとしたってことね」ハンスの顔が赤くなる。「それに、みんなが話してる戦いってなんのこと？」ハンスはぴくりと体を動かした。「エルサ王女はこの城にいるんでしょ？　だったら話をさせて。そうすれば、過去は過去と吹っきって、これからのことを考えようって気づいて、この吹雪をとめてくれるかもしれない」

ハンスは冷淡な表情を浮かべた。「エルサにはチャンスをあたえた。ぼくは話し合おうとしたんだ。ノースマウンテンにあるエルサがつくった氷の宮殿でね。だが、エルサは応じなかった。それはつまり、エルサがこの王国を破滅に追いやる決断をくだしたってことだ。エルサはきみのこともすべて知っている。だが、手をさしのべるどころか、きみを見捨てたんだ。この王国を見捨てたのと同じように」

「エルサ王女はそんなことしない」アナはいいかえした。

ハンスは、がたがたと音をたてつづけている凍った窓ガラスを指さした。「外を見ろ！　それでもそんなふうにいえるのか？　このままでは、だれも助からない。みんながいま、たよりにしてるのは、このぼくだ」

「だったら、どうやってこの王国を救うつもり？」アナはあざけるようにいった。ハンスはだまっている。「もしかして、王女を殺すつもりなの？」ハンスはそれでも口をつぐんだままだ。アナは寒さに唇（くちびる）をふるわせながらこう続けた。「で、できないくせに！　あなたに、エ、エルサ王女の運命を決める権利（けんり）はない！」

ハンスは顔色ひとつ変えずにこういった。「この王国を救うのはぼくだ。そして、みんながぼくに感謝するだろう。そのとき、きみがそばにいないのは残念だ」

「あなたなんか、エルサ王女にかなうわけない」アナは声に怒（いか）りをこめた。窓（まど）がさらに大きな音をたててゆれはじめる。

「いや、エルサにかなわないのはきみだ。エルサよりきみのほうがましだと思っていたが、それはぼくの思いちがいだったようだ。王妃（おうひ）の秘密（ひみつ）はいまこうして消える。いずれはエルサもね」

ハンスは手紙を暖炉（だんろ）に投げいれようとした。

アナははっとして、よろめきながら前に出た。「やめて！」

「やめろ！」

アナとハンスは声がしたほうをふりかえった。開いた扉（とびら）のそばにピーターセン卿（きょう）が立っていた。左右にひとりずつ衛兵（えいへい）をしたがえている。

「ハンス王子を連れていきなさい!」ピーターセン卿が衛兵に命じた。

「待ってください、ピーターセン卿……」ハンスは逃げ場をさがしてあたりを見まわした。「あなたはなにもご存じない。真実を知れば、これしか方法はないとわかるはずだ」

「必要なことは、いますべて聞いた。それにエルサ王女からも話を聞いていたからね」ピーターセン卿はアナを見つめてやさしくほほえんだ。「ひさしぶりだ、アナ」

アナはピーターセン卿のほうへ足をふみ出した。おさないころから、この顔を知っているような気がする。話をしようと口を開きかけたとき、窓ががたがたとゆれる音がいっそうはげしくなったので、そっちに目を向けた。その瞬間、窓が勢いよく吹きとばされた。とびちったガラスが直撃して、ピーターセン卿が床にたたきつけられる。とっさに頭をかばったハンスに、窓わくの破片がふりそそぐ。衛兵たちがピーターセン卿を助けおこそうと駆けよっていく。吠えるような音をたてながら吹きこんでくる風が、壁にかかった肖像画をつぎつぎとはらいおとし、部屋じゅうに雪をまきちらしていく……。

そのとき、ハンスの手から手紙が落ちた。

アナはとばされそうになった手紙をさっとつかむと、よろめきながら部屋をぬけ出した。牢獄にいるエルサ王女を見つけ出してみせる、と心に決めて。

28 クリストフ

クリストフはスヴェンの背にまたがって〈リヴィング・ロックの谷〉を出ると、遠くで異変が起きているのに気づいた。不気味な灰色の雲がアレンデール城をおおうようにしてはげしく渦巻き、すさまじい風を起こしてカバノキをなぎたおしていく。これからあの猛吹雪のなかに入っていくんだ、と身がまえた。あの竜巻のような吹雪はふつうじゃない。魔法が関係しているはずだ。

いや、呪いといったほうがいいかもしれない。

一刻も早く、城へたどりつかなければ。

「行くぞ、スヴェン！」クリストフはスヴェンのわき腹を両足で蹴った。

風を切って進みながら猛スピードで山を駆けおりていく。帽子はとちゅうで吹きとばされ、降りしきる雪のせいで前はほとんど見えない。このまま永遠に雪のなかを走りつづけるのではないか……そう思いはじめたとき、ようやく山のふもとに着いた。雪と氷にうもれているが、ここはおそらくフィヨルドだ。山の上から見たときよりも、こうして近くで見ると竜巻のよう

な吹雪はもっとおそろしく思えたが、先のことなど考えずに、吹雪のなかへつっこんでいった。

アナを助けられれば、ほかのことはどうでもいい。

明るい笑顔に大きな目、陽気で好奇心旺盛で、しゃべり出すととまらないアナ。

気が強くて、勇気があって、おれをオオカミから救ってくれたアナ……といっても、愛用のそりは木っ端みじんになってしまったが。

故郷の村と、まさか姉だとは思ってもいなかった王女を助けるために自分の命を危険にさらすこともいとわないアナ。

そう、おれはアナに恋してる。いまになってようやくその気持ちに気づくとは。

おれはなんてばかなんだ。

「急げ、スヴェン！　とばせ！」クリストフはスヴェンをはげましながら凍ったフィヨルドを駆けぬけた。

大きな船の船首のようなもののそばを通りすぎるとき、はっとして思わず見入った。船の残りの部分は氷にうもれている。吹雪のなかを進んでいくと、さらに幽霊船のような不気味な船が数隻、視界に入ってきた。どの船も猛烈な寒さのせいでマストがひび割れている。

ぎしぎしときしむような音が聞こえて見あげると、巨大な船がこっちめがけてたおれはじめ

ていた。わきによける間もなく姿勢を低くし、壊れた船の破片がふりそそぐなかを、スヴェンを誘導しながらまっすぐにつっ切っていく。船が凍ったフィヨルドに激突するすんぜんになんとかかわしたが、船があたったときの衝撃でまわりの氷にひびが入った。足もとの氷が割れてどんどん広がっていき、いまや目の前の氷はぱっくりと割れて海が見えている。スヴェンが割れ目をとびこえてクリストフを放り出し、大きい氷の上に着地させた。だが、スヴェンはずるずると海のなかに落ちていく。

「スヴェン！」クリストフはさけび、氷の上から必死に水のなかをのぞきこんでスヴェンをさがした。

すると、スヴェンが水のなかから顔を出し、近くの氷の上に這いあがった。

クリストフはほっと息をはいた。「いい子だ」はげしい吹雪のなか、力をふりしぼって立ちあがり、あたりを見まわす。そしてアレンデール城の位置をたしかめると、強風にあらがいながら進んでいった。アナがぶじでいることを祈りながら。

29 ❄ エルサ

「ピーターセン卿！」牢獄のなかからエルサはさけんだ。「カイ？　ゲルダ？　お願い、だれかわたしをここから出して！」

返事はない。

扉の小さな窓にはまった鉄格子の向こうに目をやると、廊下のたいまつの火がゆらめいているのが見えた。れんがづくりの壁のあいだを風が吹きぬけ、火が消えそうになる。手かせとつながっている鎖まで凍りはじめ、ますます動きにくくなっていく。

お願い、だれか力を貸して。

寝台に腰かけ、鉄の手かせをじっと見つめた。

このまま王国ぜんたいが凍りつき、雪にうもれていくのをただ見ているわけにはいかない。だれかにアナを見つけ出してもらい、真実を伝えれば、アナは自分がこの王国の王女であることを思い出すかもしれない。そうすれば、呪いはとけ……季節ももとどおりになる？

ほんとうの自分を思い出せば、アナがこの冬を終わらせることができるんだろうか。トロー

ルのパピーは、そのことについてはなにもいっていなかった。この冬をつくり出したのはわたしなのだから、終わらせることができるのも、わたしだけなのかもしれない……。

壁に頭を打ちつけると、氷がひび割れる音がした。どうしてわたしは、自分でつくり出した冬を夏にもどす方法すらわからないんだろう。

〝恐れがそなたの魔法にどんな影響をもたらしているかもわかっている〟頭のなかでパピーの声がした。〝力をコントロールすることに集中しなさい〟

恐れって？　自分の魔法の力を恐れているという意味？　わたしが恐れているのは妹のいない人生だ。アナとすごす人生をあきらめれば吹雪はやむの？

わからない……だれにたずねればいいのかも。

お父さまとお母さまを失ったあと、人びとを遠ざけてきたし、わたしが城からひとりで逃げ出したせいで、オラフだって見捨てられたと思っているかもしれない。わたしに力を貸してくれる人なんて、もういない。

うなだれて目をつぶると、涙がこぼれた。「お父さま、お母さま。お願い、助けて」

風の音だけが耳にとどく。

「エルサ王女！」

目を開き、鎖を引っぱりながら立ちあがった。だれかがわたしを呼んでいる。女の人の声だ。それも若い。でも、だれなのかわからない。

「エルサ王女、どこ？」

「ここよ！」エルサはさけんだ。ゲルダの声でもオリーナの声でもない。でも、だれだろうとかまわない。わたしを助けにきてくれたのなら。「こっちよ！」

「やっと見つけた！」女の人が鉄格子に顔を押しつけ、牢のなかをのぞきこんだ。

まさか、これは現実なの？　エルサは信じられなかった。目の前に青い目をした女の人がいる。ふたりが見つめ合うと、エルサの手かせが光り出した。でも不思議なことに、さらに凍りついたりせず、手かせをおおっていた氷がとけていく。「アナよね？」エルサは、われをわすれ、かすれ声で問いかけた。

「そう」アナは鉄格子をつかんだ。「あたしはアナ……やっと会えたね」

アナは、わたしが頭のなかでつくり出したまぼろしなんかじゃないし、幽霊でもない。こうして鉄格子の向こう側に立っているのは本物だ。わたしの妹がここにいる。呪いはとけたんだわ！　エルサは泣き出した。「わたしが、だれだかわかるの？」

アナはわずかにためらってから口を開いた。「ええ」

「じゃあ、思い出したのね？」エルサの目からとめどなく涙がこぼれおちる。「それで、わたしをさがしにきてくれたんでしょう？」

「あたし……ここへ……」アナの声が小さくなっていく。アナは羊皮紙をエルサに見せた。「あたし、王妃の手紙をもってきたの」

エルサの手かせがさらに明るく輝き出す。「どうしてアナがその手紙をもってるの？」お母さまからの手紙を、いっしょに読めるんだわ！「でも、理由なんてどうだっていい。だって、アナがもどってきたんだもの！　そして……こうしてそばにいてくれる」

「あなたも……こうしてそばにいてくれる」アナがささやくようにエルサの言葉を繰りかえす。

ふたりはしばらく見つめ合った。聞こえてくるのは、外で吹きあれる吹雪の音だけだ。

そのとき、だれかがくすくすと笑う声がした。

「ぼくもそばにいるよぉ」

鉄格子の向こうでアナがなにかを抱きかかえてもちあげたかと思うと、雪だるまの頭が見えた。雪だるまは歯を見せてにこりと笑った。

「オラフ！」エルサはうれしくて大きな声をあげた。「ぶじだったのね！」

「うん！」と元気よく答えたあと、オラフは顔をしかめた。「だけど、エルサの部屋から出ちゃっ

たぁ。だめだってわかってたけど」

「いいのよ」エルサは泣き笑いの顔でいった。

「ぼく、アナを見つけたんだよ！」オラフがうれしそうにいった。「それで、そのあと、アナとクリストフとスヴェンといっしょにエルサをさがしにいったんだぁ。だけど、とちゅうでクリストフとスヴェンがどっかに行っちゃってぇ。だから、ハンスといっしょにもどってきたんだよぉ」

「ハンス？」エルサの顔から笑みが消えた。「ハンスはいまどこにいるの？　アナ、ハンスのいうことを信じてはだめよ！」

アナが答えようと口を開きかけたとき、アナとオラフがとつぜんエルサの視界から消えた。

「アナ！」エルサは大きな声で呼びかけた。

「はなして！」アナがさけぶ声がする。

「どこ？　どこに行っちゃったの？」オラフもわめいている。「もとにもどしてよ！」

鍵穴に鍵が差しこまれる音が聞こえたかと思うと、牢獄の扉が開いて、オラフの頭だけが転がりこんできた。そのあとから、囚人をあつかうようにアナを乱暴に引っぱりながらハンスが入ってくる。ハンスの右のまぶたにはできたばかりの切り傷があった。「ひさしぶりに姉妹で

再会できて、さぞかしよろこんでるだろうね」

「アナをはなしなさい！　アナを傷つけたら許さないから！」エルサがハンスに向かってさけぶと、手かせが青い光を発した。「アナはすべて思い出したのよ！」

ハンスは意地の悪い笑みを浮かべた。「さあ、それはどうだろう。ためしてみればわかる」

ハンスはいきなりアナを前につきとばした。アナがエルサにぶつかってあおむけにたおれる。すると、アナは苦しそうに息をしはじめた。つま先が凍り出し、足首からふくらはぎへじわじわと広がっていく。

呪いは……まだとけていなかったんだわ。

アナの体がどんどん凍っていき、髪の毛が白くなっていくのをハンスは平然とながめている。いまやアナの全身が凍りつこうとしていた。エルサはアナから遠ざかろうと力のかぎり鎖を引っぱったが、わずかしかはなれることができない。

「アナ！」頭だけのオラフがうろたえながらアナのそばに転がってくる。

「アナを殺すつもりなのね！」エルサはハンスをにらみつけた。

ハンスは身じろぎもせずにエルサをにらみかえした。「ああ、そうだ」アナは床の上で苦しそうにもだえている。「きみは勝手に自滅して、アナはおろかにもきみのあとを追ったってわ

けさ。きみたちふたりが死んでくれれば、ぼくがこの王国を治めることができる」
「そんなことはさせない！」エルサはのども張りさけんばかりにさけんだ。手かせがふたたび光りはじめ、雪の結晶の形をした霜が手かせから鎖へ、そして壁へと広がっていく。顔をあげ、ぼうぜんと見つめるハンスの前で、牢獄のなかがどんどん氷でおおわれていく。鎖を引きちぎろうとエルサが、一回……二回……三回と鎖を引っぱったとき、天井にできていたつららがはがれて落ちてきた。オラフの頭がアナをかばおうと上にとびのり、ハンスは両手で頭をかかえる。

エルサは魔法の力で穴を開けようと窓に意識を集中させた。すると窓に穴が開き、壁にもひびが入って、壁につながっていた鎖とともにくだけちった。手かせもぱっくりとふたつに割れ、手を自由に動かせる。エルサは壁の割れ目から外へぬけ出すときに、一瞬ふりかえってアナを見ると、猛吹雪のなかへとび出していってそのまますがたを消した。やがて、アナの体をおおっていた氷がとけはじめた。

30 アナ

壁がくずれる大きな音と叫び声に続き、あわただしい足音がした。

「王女が逃げ出したぞ！」とだれかがわめいているが、その声はもっと遠くから聞こえてくる。ついさっきまで、アナは全身が凍りつくように感じていたが、エルサ王女がいなくなると吐き気がおさまり、体もあたたかくなってきた。

これはどういうこと？

〝魔法を見せて！〟という声が頭のなかでまた聞こえた。すると、すぐに頭が痛み出したので、記憶を意識から追いやろうとした。

思い出したのね？とエルサ王女にきかれたとき、とっさのことでどう答えていいかわからなかった。エルサ王女は思い出したようだけれど、あたしはよみがえってくる記憶とハンス王子から聞いた情報をまだきちんと理解できていない。だって、こんなことが事実だなんて信じられる？　あたしがアグナル国王とイドゥナ王妃の娘で、王国が失っていたもうひとりの王女だなんて。城の玄関ホールで見た王家の肖像画を思いうかべる。

心臓がどきどきと脈打っているのを感じながら、気になっていることをひとつひとつ整理した。一か月おきにたずねてくるとき、フレイヤはフードのついた黒いマントで身をかくすようにしていた。馬車には男の御者がふたりいて、ふたりともフレイヤの訪問が終わるまで待っていた。フレイヤは王妃と同じ日に同じ船で亡くなった。王家の肖像画の王妃は、母さんの親友であり、あたしのおばのような存在のフレイヤとそっくりだ。

やっぱりフレイヤと王妃は同一人物なんだろうか？

そして、フレイヤ、つまり王妃があたしの生みの親ということ？

ぼやけた視界のなかにオラフが見えた。オラフの頭が転がっていって胴体の上にとびのった瞬間、なぜだかはっきりとわかった。フレイヤはイドゥナ王妃だ。

オラフはニンジンの鼻でアナをつついた。「アナ、だいじょうぶ？」

アナが力をふりしぼって上半身を起こし、オラフに返事をしようと口を開きかけたとき、だれかの声がした。

「ハンス王子！」衛兵がいい、少しはなれた場所に横たわっている人物の前にかがみこんだ。

「エルサ王女が……」ハンスは声をつまらせながらいった。「王女がさらに吹雪をはげしくしようとしたのでとめようとしたんだが、魔法で攻撃された。王女は……逃げ出した」

「うそつき」とアナはいったが、弱々しい声しか出せなかった。少しずつ、ぼんやりしていた視界がはっきりしてきた。壁にできた大きな割れ目から、雪が吹きこんでいる。

ハンスはアナを指さした。「エルサはアナも魔法で攻撃した。そのせいで、アナの体が凍りはじめたんだ」

エルサ王女はあたしに攻撃なんてしていない。あたしに会えてうれしそうだった。なのに、どうして逃げ出してしまったの？

〝ねえ……エルサ、起きて、起きて、起きてよ！〟アナの頭のなかで、また声が聞こえた。〝雪だるまをつくるのはどう？〟

いま聞こえたのは、おさないころのあたしの声だ。いままでよりずっと早く、いろいろな記憶がよみがえってくる。

「きみたち、アナをたのむ。エルサ王女をさがさなきゃ。ぼくは王女を追う」とハンスが衛兵たちにいうのがアナの耳にとどいた。

「だめ！」とさけぶアナのもとに、衛兵たちが駆けよってくる。アナが見つめる前で、ハンスは強風にあらがいながら壁の割れ目の向こうへ消えた。いつでも攻撃できるように剣をふりかざしたまま。

エルサ王女を殺す気だ。そう心のなかでさけびながら、アナは衛兵たちに訴えた。「あたしはだいじょうぶ。それより、だれかハンス王子をとめて！　王女を傷つけるつもりよ！」衛兵たちがけげんな顔でアナを見つめる。

「王女を追え！」衛兵のひとりが声を張りあげ、壁の割れ目に向かった。ほかの衛兵たちもあとに続く。

アナが全身に力をこめてなんとか立ちあがったとき、なにか、かたいものでなぐられたようなはげしい痛みが頭に走った。ふらつきながらも、ゆっくりと壁の割れ目に近づいていく。「ハンス王子や衛兵より先に、エルサ王女を見つけなきゃ」とオラフに伝える自分の声が、自分の声ではないように奇妙に耳に響く。

「うわぁ、アナ！　唇が紫色になってるよ！」

「オラフ、少しでも早くエルサ王女のところへ行けるよう力を貸して。とても大事なことなの！」

オラフはぱっと顔を輝かせた。「まかせて！　いつでもオッケー。さあ行こう！」といい、アナの前をひょこひょこと歩きながら壁の割れ目をくぐりぬけていく。

アナも転ばないように、くずれた壁の山の上に慎重に足をのせながら外に出た。はげしい

吹雪で目の前にいるはずのオラフさえよく見えない。どこからかなにかがきしんだり、たおれたりする音が聞こえてくる。突風にあおられて、アナは後ろに吹きとばされた。オラフは宙に舞いあがる。

「先に行っててぇ！」とさけびながら、ばらばらになったオラフの頭と胴体が渦巻く風にのってとんでいく。

アナは顔の前に腕をかざしながら吹雪のなかを進んでいった。なんとしてでもエルサ王女を見つけ出さなきゃ。手おくれになる前に。

31 ＊ エルサ

エルサはどっちへ行ったらいいかわからず、立ちどまってあたりを見まわした。風にあおられて視界をさえぎるマントを手ではらいのける。

吹雪が荒れくるい、身を守る場所などどこにもなかった。

城にももどれない。みんながわたしをおそれているし、わたしがそばにいるとアナは凍りついてしまうのだから。

アナの人生は、まだ呪いに支配されている。

わたしの人生は、もう終わったも同然だ。

わたしの魔法のせいで、みんながこの異常な冬に苦しんでいるのに救うことができない。

どうすれば、アナを呪いから解放できる？

どれほど必死に望んでも、吹雪をとめる方法がわからない。

いままで、これほど心細く、孤独を感じたことはない。

渦巻いて吹きつける雪のなかを、あてもなくさまよっていると、目の前に、凍りついた船が

かすかに見えた。もう、つかまったってかまわない。アナといっしょにいられないなら、戦う意味なんてないのだから。

32 アナ

アナはオラフを見失い、どこへ向かっているのかもわからないまま吹雪のなかを進んでいくうちに、いつの間にか船のそばまで来ていた。この船はまぼろし？　エルサ王女はどこにいるんだろう。そう思っていると、とつぜん大きな音がして、はっとそっちを見た。船のマストが凍ったフィヨルドにたおれたのだ。その衝撃で氷のかたまりがいくつもとんできて、とっさに両手で頭をおおった。

まるで世界が終わりに近づいているよう。でも、まだ終わらせるわけにはいかない。するべきことがたくさんあるのだから。わすれていた過去をぜんぶ思い出し、姉のこともっと知りたい。それに、この王国にはふたりの王女が必要だ。ふたりいっしょなら、太陽がさんさんと照りつける夏をとりもどせるかもしれない。

エルサ王女と牢獄にいたときのように、また体の芯まで冷えるように寒くなってきた。マントの端をかき合わせたけれど、ちっともあたたかくならない。これほど寒いのは、吹雪のせいだけじゃなく、ほかにもなにか原因があるはずだ。青白い手が凍りはじめ、小さな雪の結晶の

形をした霜が指先から手首へ広がっていく。

呪い……という言葉がふと頭に浮かんだ。母さんがたしかそういっていたはず。

もしかして、あたしとエルサ王女は呪われている？　呪いのせいであたしは姉から引きはなされたの？　村の両親にあずけられたのはそのせい？　王妃の手紙を読めば、あたしたちの身になにが起きたのかわかるかもしれない。

そう、手紙！

あわてて服のポケットに手を入れたが、手紙はなくなっていた。牢獄の壁が壊れ、エルサ王女が逃げ出してさわがしかったときに、ポケットから落ちてしまったのかもしれない。あたしがだれだか証明するものをなくしてしまった……。それに、たよれる人はエルサ王女しかいないのに、どこにいるのかわからない。あたしより先に、ハンス王子がエルサ王女を見つけてしまったらどうしよう？

氷の上で足をすべらせた。どこもかしこも氷だらけ。それどころか、あたしの体までじわじわと氷になりつつある。お願い。フレイヤの記憶を、あたしを産んでくれた母の記憶をよみがえらせて。そうすれば、それがきっかけとなってエルサ王女のいる場所へたどりつけるかもしれない。エルサ王女のいるところへ導いて。

そのとき、はげしい胸さわぎに駆られてふりかえった。
少しはなれた場所で、エルサ王女がひざをつき、両手に顔をうずめていた。ハンス王子がその後ろに立って王女を見おろしている。王女は王子に気づいてないの？　それとも、もう抵抗する気力さえなくしてしまった？　あきらめたらだめ、エルサ王女！　そうさけぼうとした瞬間、失われていた記憶が一気によみがえった。
ほんの一瞬、幸せな気持ちにふわっとつつまれ、心があたためられるように感じた。さまざまな記憶が頭のなかを駆けめぐる。寝室でエルサといっしょにおしゃべりしたり、城の厨房で母とお菓子を焼いたり、玄関ホールの中央の階段をエルサとならんで駆けおりたり。〝魔法を見せて！〟という声も聞こえる。何度か聞いたこの声は、おさないころのあたしが、もっと雪を降らせて、とエルサにせがんでいるのだとわかった。大広間でエルサとスケートをしたり、雪山にスノーエンジェル[*5]をつくったり。そう、ふたりでオラフもつくった！　おさないころのあたしはエルサの魔法が大好きで、いつも魔法を使って遊ぼうとせがんでいた。〝魔法を見せて！〟とせがむ自分の声をふたたび聞いたあと、ふたりの運命を変えてしまったできごとがよみがえった。雪山から雪山へとびうつっていたあたしがなにもないところへ落ちそうになったとき、雪山をつくろうとエルサがあわてて放った魔法が、あやまってあたしにあたってしまっ

たのだ。これが原因で、あたしとエルサは引きはなされた……。

ぜんぶ思い出した！　なにもかも――

はっとわれに返ったアナは、ハンスが剣をかかげているのに気づいた。エルサの心臓をつきさそうとしている。

あたしの姉さんの心臓を。

アナはもてるすべての力をふりしぼり、エルサに駆けよった。

「だめ！」とさけび、エルサとハンスのあいだに身を投げ出して、一撃をふせごうと片手をあげた瞬間、胸から指先へと全身が凍った。ふりおろされた剣が凍りついたアナの指先にあたって刃がくだけ、その反動でハンスが後ろにとばされる。

アナが最後にはいた息が、空中に散って消えた。

＊5　雪の上にあおむけに寝て手足を動かし、天使の形をつくる遊び、またはその形

33 エルサ

絶望に打ちひしがれていたエルサは、地面がゆれたのを感じてはっと顔をあげた。風がしずまり、雪もやんでいる。まるで時がとまったかのように空中に浮かんでいる雪片を目で追っているうちに、なにが起きたのか気づいた。

「アナ！」とさけび、とびはねるようにして立ちあがる。

わたしの妹が氷になってしまった。

片手をあげたまま凍りついたアナは、まるでその一瞬のすがたを永遠にとどめる彫像のようだった。マントもひるがえったまま凍っている。少しはなれたところにハンスがたおれていて、その横に刃がくだけた剣が落ちている。それを見た瞬間、気づいた。アナが、ハンスからわたしを守ってくれたんだわ。自分の命を犠牲にして。

アナの凍った顔にふれようとそっと手をのばした。「アナ！　ああ、いや！　そんな……いやよ！」両手でアナの頬をつつみこむ。

呪いはなんて残酷なのだろう。アナ、やさしく、愛しいアナ。どうしてこんな目にあわなけ

ればならないの。ああ、アナ、わたしをひとりにしないで。

エルサは凍りついたアナに抱きつき、泣きじゃくった。オラフが近づいてきたことにも、トナカイを連れた金髪の男の人が、ぼうぜんとアナを見つめていることにも気づかなかった。おそろしいほどの静寂のなか、城のバルコニーにだれかがいるのが見える。涙で視界がぼやけているけれど、右腕に包帯を巻いているのはピーターセン卿？　それにゲルダとカイとオリーナもいるようだ。でも、そんなことはもうどうだっていい。

わすれられていた王女をようやく見つけたのに、また失ってしまった。

アナ、ほんとうにごめんなさい。アナを抱きしめているエルサの頬を涙が伝う。あなたをだれよりも愛してるわ。その気持ちはこれからもずっと変わらない……。

そのとき、エルサはアナがはーっと息をはき出し、腕にもたれかかってきたのを感じた。アナは生きている！　みるみるうちに、アナの全身をおおっていた氷はとけ、髪の白かった部分ももとにもどっていく。

「アナ！」エルサはおどろいて声をあげ、アナの目を見つめた。

アナはエルサの腕をつかんだ。「エルサのことを思い出したの。それだけじゃなく、なにもかも」アナがそういい、ついにふたりは抱き合うことができた。

しばらくして体をはなすと、エルサはあらためてアナを見つめなおし、やさしくこういった。

「わたしのために自分を犠牲にしてくれたのね」

「だって、愛してるから」アナはエルサの手を両手でつつみこんだ。エルサの視線が自分の背後にそそがれているのに気づいてふりかえる。「クリストフ！」

「王女さま」クリストフがいった。「もうひとりの王女はほんとうにいた。そして、それがきみだったなんて信じられない。というか、信じられないこともないが……いや、まったく、きみが王女とは！　おじぎしようか？　それともひざまずいたほうがいいか？　いったいどうすればいいいんだ」

「ばかなこといわないで。あたしはあたし。なにも変わってない」アナは笑いながらいい、クリストフをハグした。

エルサはクリストフの言葉を聞き、感動で胸がいっぱいになった。クリストフがアナは王女だと知っているなら、みんなも知っているということよ。おそらく王国じゅうの人びとが、夢から覚めたように真実を思い出したにちがいない。この王国には、ほんとうは王女がもうひとりいることを。アナが凍ってしまったのは、呪いがとけるのがほんの一瞬おそかったからかもしれない。でも、ついに呪いはとけた。エルサの目に涙があふれてくる。

「パピーがいってたとおりだ。真実の愛はどんな呪いもとくことができる」クリストフがいった。

「真実の愛はどんな呪いもとく……」エルサはクリストフの言葉を繰りかえした。「愛……そうよ！」

わたしはずっと、恐れにおびやかされてきた。ひとりきりになることへの恐れ、アナを見つけ出せないかもしれない恐れ、自分の魔法の力で王国をほろぼしてしまうかもしれない恐れ。自分に魔法の力があると知ってから、そういう恐れにとらわれてきた。でも、パピーにいわれたとおりに魔法をコントロールする術を身につけ、人生はすばらしいものにあふれていて、この力は呪いではなく天からの贈り物だと気づけば、大きな山さえ動かすことができるかもしれない。

この凍りついた王国をとかすことだってできるはずよ。

感動に胸をふるわせながら自分の両手を見つめる。答えはずっと、すぐそばにあったのよ。「愛よ！」

「エルサ？」アナがたずねた。

エルサはいま胸にあふれている気持ちのことだけ一心に考えた。それは、いままで感じたこ

とがないほど大きな愛とまざり合った純粋なよろこびだ。わたしには心から愛する妹がいる。妹への愛、そして父と母とこの王国の人びとへの愛に意識を集中させると、かつては恐れに支配されていた心が落ち着いてきた。わたしの使命はこの王国を守ること。いまのわたしにならそれができる。

心が愛で満たされると、魔法を使うときにいつもそうなるように指先がひりひりしはじめた。でも、今回は指先があたたかい。

エルサは空に向かって両手を高くあげた。

すると、足もとから雪が舞いあがりはじめた。とけた雪が水になって間欠泉のようにふきあがり、見わたすかぎり、水平線のかなたまでずっと、いたるところで氷が空にのぼって蒸発する。フィヨルドの氷もとけて、船がまた水に浮かびはじめると、自分たちが立っているのが船のデッキだったと気づいた。

指先から放たれつづける青い光がフィヨルドをこえて村のほうへ広がっていく。雪にうもれていた家がゆっくりとすがたをあらわし、花が咲き、野原や山が緑の草でおおわれる。おどろいた人たちが家から出てきて、冬が夏にもどっていくのを見つめている。

雪と氷がすべてとけると、残った水が空にあがっていき、渦を巻いて巨大な雪の結晶になっ

た。エルサが最後に両腕をひと振りするなり、雪の結晶は光の玉となってはじけ、そのあとに青い空が広がり、太陽もふたたび輝きはじめた。

アナが誇らしげにエルサを見つめた。「エルサならできるって信じてた」

「よかったぁ。今日はぼくの人生でいちばんの日だ！」オラフがうれしそうにさけんだ。オラフの頭の上の雪雲からだけは、まだ雪が降りつづいている。

そのとき、うめき声が聞こえてエルサがそっちを見ると、ハンスがあごをさすっていた。そばへ行こうとしたエルサをアナが手をのばしてとめた。「あたしにまかせて」そういってハンスに近づいていく。

ハンスはアナに気づくとおどろいて息をのんだ。「アナ？」といってあわてて起きあがる。「なぜだ？　呪いのせいで氷になったのを、この目でたしかに見たのに！」

アナの表情がけわしくなる。「氷みたいに冷たいのは、あなたのほうでしょ！」そういいはなち、立ちさりかけたが、とちゅうで思いなおしたらしく、ハンスのあごにいきなりパンチを食らわせた。

ハンスはのけぞり、腕をばたばたさせながら船から海へ落ちていった。

遠くから歓声が聞こえたのでエルサは城のほうを見た。バルコニーにいるカイやゲルダたち

だ。ハンスがとうぜんの報いを受けたことに拍手喝采するようすを見て、カイたちはハンス王子の正体を知っているらしいと希望がもてた。ハンスは信用できない人物だけれど、わたしも今回のことで信頼を失ってしまったかもしれない。でも、みんなの信頼をとりもどせるよう、これから努力するつもりだ。

「エルサ王女！」

だれが呼んでいるのだろう、とエルサは船のへりに走っていった。ピーターセン卿とふたりの衛兵をのせた小さなボートがこっちに近づいてくる。ボートが船に横づけされると、ピーターセン卿が船にのりこんだ。衛兵たちはボートに残って、海からハンスを引きあげている。ピーターセン卿はアナとエルサを交互に見ると、駆けよってきて、ふたりを抱きしめた。

ピーターセン卿の目は赤く、涙が浮かんでいた。「アレンデール王国の王女がふたりそろっているすがたをふたたび見られるとは……王国の民はどれほどよろこぶだろう！　おおぜいの人が城につめかけている。王国は氷と雪に閉ざされた冬から解放された！　エルサが夏をとりもどしてくれたおかげだ」涙をぬぐい、アナの腕にふれる。「失われた王女がもどってきてくれた。これまではきみの存在をわすれていて、まるで夢のなかで生きてきたようだったが、これからは、きみとともに本来あるべきすがたで再スタートできる。呪いはようやくとかれたのだ」

「どうして呪いのことを知ってるの？」エルサはおどろいてたずねた。

ピーターセン卿はジャケットのポケットから羊皮紙をとり出した。「王妃の手紙を読んだのだよ。きみたちが牢獄から出ていったあとに見つけてね」そういってエルサに手わたす。「きみたちに返したくてこうしてもってきた。王妃からの賢明な教えが、わすれさられるようなことがあってはならないからね」

「ありがとう」エルサは、二度と目にすることがないと思っていた母からの手紙を見つめた。「まだ、きちんと読めていないの。読みおえる前に……」

「王国を凍らせちゃったからだよねぇ」とオラフがいい、みんなが声をあげて笑った。

「いま、いっしょに読もうよ」アナが目を輝かせて手紙にふれた。

ほかのみんなは、姉妹だけにしてあげようと、そっとはなれていった。エルサとアナは船のデッキにならんですわり、母からの手紙を読みはじめた。

愛しいエルサ

あなたがこの手紙を読んでいるということは、わたしとアグナルはもうこの世にいないとい

うことでしょう。そうでないなら、わたしたち家族を引きさいた呪いについて、すでに知っているはずね。あの夜に起きたできごとについて、真実を打ちあけようと、これまで何度思ったかしれません。けれど、わたしたちが助けを求めたトロールの長老のパビーは、いつか呪いがとけ、あなたが自分で思い出す時がくる、といいました。

こうして手紙を書いているいま、まだその時はおとずれていません。わたしとアグナルになにかあっても真実を知ってもらえるように、何年も胸の奥にしまいこんできた秘密を手紙にしたため、あなたの鍵のついた箱にかくすことにしました。

エルサ、あなたには、アナという名前の妹がいます。あなたと同じように、アナも長いあいだ真実を知らないままです。わたしたちは、あなたのこともあなたの妹のことも心から愛している。でも、あなたたち姉妹を引きはなすしかなかったの。

こんなことを知ったらおどろくかもしれないけれど、あなたには生まれつき、氷や雪をつくり出す魔法の力があります。あなたがまだおさなかったある夜のこと、その魔法があやまってアナにあたってしまったのです。アナの命を救うため、わたしたちはトロールの知恵を借りようと〈リヴィング・ロックの谷〉へ馬を走らせました。

トロールの長老のパビーはアナを救おうとしてくれました。けれど、アナの身の安全のため

にあなたの魔法の力にかかわる記憶をすべてぬきとろうとしたとき、動揺したあなたがパピーをとめようとして、パピーとあなたの魔法がまじわり、あなたとアナに呪いがかかってしまったのです。あなたには、自分に魔法の力があることも、その使い方もわすれるという呪いが。アナには、あなたの近くにいると凍りついてしまうという呪いが。だから、呪いがとけるまで、あなたたちは決して顔を合わせてはいけません。姉妹がおたがいをかつてないほど必要としたときに呪いはとける、とパピーはいいました。

質問したいことが、たくさんあるでしょう。たった一通の手紙では、そのすべてに答えることはできそうにないけれど、これだけは知っておいてほしいの。わたしたちがあなたたちを引きはなしたのは、呪いをおそれたからではないと。ふたりを心から愛しているからこそ、傷つくのを見たくなかったの。パピーがふたりを守る方法を教えてくれて、引きはなすしかないと思ったのです。

それと、どうか誤解しないでほしい。わたしが呪いといったのは、あなたの魔法の力のことではないわ。あなたの力は天からの贈り物よ。その力をあなたがコントロールできるよう、わたしとアグナルで力を尽くしてきたし、これからも努力するつもりです。

いちばん伝えたいことはね、エルサ。この手紙を読んで希望をもってほしいということなの。

あなたは決してひとりじゃない。あなたは聡明でどんな困難な問題でも解決できる力をもっている。だから、妹をさがし出す方法を見つけられると信じています。そして、やさしくて思いやりのあるアナも、あなたのもとへもどる方法を見つけ出すでしょう。ふたりが姉妹だと知っているのは、わたしとアグナル以外には、アナを養女にして育ててくれている夫婦だけです。アレンデール王国のほかの人たちは、もうひとりの王女を覚えていません。パビーは、離ればなれになることであなたたちの繊細な心が傷つかないよう、おたがいの記憶も消しました。でも、いつかかならず記憶がもどり、呪いがとける日が来ます。

おさないころのふたりを見せてあげられたらどんなにいいでしょう！　ほんとうに仲のいい姉妹で、いつもいっしょだったのよ。毎朝のように、あなたのベッドにもぐりこんだアナを見つけていたくらいに。それに、あなたはすばらしいお姉さんだった。きっとまた、そうなる日が来るでしょう。

ふたりが、ふたたびいっしょにすごせる方法を見つけ出すと信じています。あなたたちは、これまでも、この先もずっと、暗闇でおたがいを照らし合う光なのだから。

母と父より

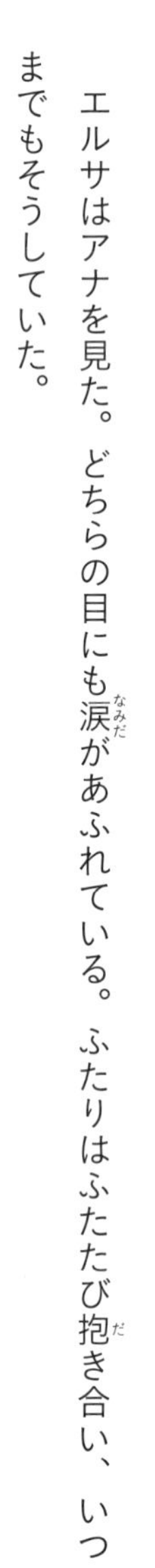

エルサはアナを見た。どちらの目にも涙があふれている。ふたりはふたたび抱き合い、いつまでもそうしていた。

34 エルサ

それから数日後、アレンデール王国は日常をとりもどしつつあった。

それまでとはちがった新しい毎日が、いそがしくすぎていた。

王国の人びとは、もどってきたふたりの王女を大よろこびでむかえた。

エルサは、わざとではないとはいえ、王国を雪と氷で閉ざしてしまったことを深く悔やんでいたので、少しでも早く王国をもとの状態にもどそうと休む間もなく働いた。まずとりかかったのは、ハンス王子をサザンアイルズに送りかえすことだった。

「あの悪党は責任をもって国に送りかえします」船長がエルサにいった。ふたりは船着き場に立っていた。「処分は十二人のお兄さま方におまかせすることにいたしましょう」

「エルサ、誤解なんだ」船へ連れていかれるハンスがいった。わざとらしい笑みを浮かべている。「たのむ、話をきいてくれ」

「話すことなんて、なにもないわ。話したいことがあるなら、お兄さまたちに伝えなさい。といっても、お兄さまたちはまず、わたしからの手紙を読むことになるけれど」エルサは船長に

手紙をわたした。「この王国であなたがしたことは、すべてここに書きしるしてあります。牢獄に放りこまれないよう、お兄さまたちを説きふせられるといいわね」ハンスの顔が凍りつく。

「サザンアイルズでの日々が楽しいものでありますように、ハンス王子」

船長がハンスの背を押しながら船にのせた。エルサは、二度とあんな人の顔を見なくてすみますようにと願った。

ウェーゼルトン公爵はもっと抵抗した。

「こんなひどいあつかいは許せん！」というわめき声が聞こえ、エルサがそっちを見ると、公爵がふたりの護衛とともに船に連れていかれるところだった。「わしはむしろ被害者なのだぞ！こわくて逆らえなかった。心に痛手を負って、まだ立ちなおっていないのだからな。ああっ！首が痛い。まず医者のところに行かせてくれんかね？」

「国におもどりになってから、診てもらえばいいわ」エルサは清々した気分でこういった。「アレンデールは今後いっさい、ウィーゼルタウンといかなる取引もおこないません」

「ウェーゼルトン！　ウェーゼルトンだぞ！」とどなりながら、公爵は船のなかへ消えていった。

35 アナ

エルサが、しそこなった戴冠式の準備を新たに始め、王国を立てなおすことに取り組んでいるあいだ、アナは育ての親に会うためにハーモン村へもどった。アナにつきそったクリストフは、村人たちが、アナだけでなく自分も大歓迎してくれたことにおどろいた。ふたりは村人たちと暖炉の前にすわり、道中で起きたことや、ふたりの王女を引きはなしていた呪いについて夜おそくまで語った。なかでも村人たちがとくに感心したのは、アナの養父母のトーマリーとヨハンが国王と王妃の秘密を忠実に守りとおしたことだった。

　火が尽きると、村人たちはそれぞれ家に帰り、クリストフとスヴェンは納屋に向かった（クリストフが、納屋がいちばん落ち着くから、といったのだ）。アナは育ての親と居間の椅子に腰をおろし、この家に自分が連れてこられたいきさつをきいた。ふたりとも、アナがトロールにキスされたかどうかはよくわからないといったが、アナを養女にむかえることにトロールがなにかしらかかわっていたことは知っていた。

「アナをここへ残していくのは、国王と王妃にとってなによりつらいことだっただろう。でも

それは、アナを愛するがゆえにしたことなんだよ」母さんがいった。「アナとエルサ王女がふたたび会える日が来るまで、ここで大事に育てる、と約束したんだ」

「だが、ふたたび会える日なんて一生、来ないんじゃないかとトーマリーが心配しはじめてな」父さんがいった。「わしは、再会の日はかならずおとずれると、ずっと信じていたんだが……」

「国王と王妃が海で亡くなってしまった」アナは父さんの言葉の続きを引きとった。

両親に起きたことを受けいれるには時間がかかるだろう。両親とすごせていたはずの長い年月を思うと胸が痛む。でも、アナは自分にこういいきかせた。そうとは知らずに、あたしは生みの母との時間をすごしていたのだ。フレイヤは、あたしに深い愛情をそそいでくれた。フレイヤだけじゃなく、父さんと母さんだって。あたしはとても恵まれた人生をすごしてきた。そう考えると、涙をこらえることができた。

「ねえ、フレイヤは何年もここをおとずれていたのに、そのあいだ、だれひとり、フレイヤが王妃だって気づかなかったの？」アナはたずねた。

母さんが笑いながらいった。「一度だけこんなことがあったよ。フレイヤがここにいるときにラルセンが店に来てね。王妃にちがいない、といっておじぎをしたんだけど、父さんが王妃じゃないといいきかせたんだ」

「遠い親戚だが、ひどく息が臭いんだといったら、ラルセンは顔をしかめて帰っていったよ！」

三人はわっと笑い声をあげた。アナは大きな声で笑いながら、やっぱりこのふたりはあたしの両親だ、としみじみと感じた。ふたりとも愛情をたっぷりそそぎ、好きな道を歩ませてくれる。もう一組の両親だって、きっとそうだったはず。そんな両親が二組もいるなんて、あたしはほんとうに幸せ者だ。

アナはまた村にもどってくると約束し、父さんと母さんも城に来てねと別れのあいさつをした。

「ああ、もちろん行くよ。アナのお姉さんの戴冠式を見のがすわけにはいかないからね」といって母さんはアナをぎゅっと抱きしめ、アナを城へ連れてかえるために待っていたクリストフのところへ行かせた。雪用の服から青緑色のシャツと黒いベストに着がえたクリストフは、とてもすてきだった。金色の髪が太陽の光を反射してきらめいていた。

これから城へ帰る。あたしのわが家に。おさないころに住んだきりの場所にこの言葉を使うのはへんな気がしたけれど、城には思っていた以上に親しみを感じた。自分の寝室だけじゃなく、城の間取りやほかの部屋にもすぐになじみ、肖像画の間の絵に描かれている、おさないころの友だちジャンヌに会いにいったりもした。ほんとうのところ、エルサがいればどこであろ

うと、アナにとってはわが家だ。

そしてもうひとり、いっしょにいると安心できて、そばにいてほしい人がいる。

「さあ、着いたよ！」アナは、はずんだ声でいった。

「だったら早く目隠しを外してくれ」クリストフが文句をいった。

城へもどる道のりの最後の三十分間、クリストフはずっと目隠しをされていた。クリストフをおどろかせたかったので、アナは自分が手を引っぱっていく、といってゆずらなかったのだ。

そしていま、ふたりはフィヨルドの近くに立っていた。

「いま、外すから」アナは目隠しをとった。「ジャジャーン！　だめにしちゃったそりの代わり」

クリストフは口をあんぐりと開けた。「うそだろ？」

アナは興奮して上ずった声でいった。「うそじゃない！　しかも最新モデルなんだから」

それは、どこにでもあるようなありふれたそりではなかった。特別に注文した最新式のそりで、クリストフがつばでみがく必要なんか一生ないんじゃないかというくらいニスがたっぷりとぬってある。スヴェンは、このそりを用意したのは自分だといわんばかりに自慢げにそりのほうへ歩いていく。アナはそりにリボンをかけ、座席に新しいリュートを置いていた。そりの荷台には大きな袋も積んであり、そのなかには、ピッケルやロープなど、なくなってしまった

であろう思いつくかぎりのものを入れていた。

「こんなりっぱなの、受けとれないよ」クリストフは興奮しているのか、顔が赤くなっている。

「受けとって！　返品不可。交換もなし。未来の女王エルサの命令よ。あなたは正式に、アレンデール王国公認の氷職人および氷配達係に任命されたの」

アナはスヴェンの首にかけられた銀色に輝くメダルを指さした。

「ないだろ、そんな係！」

「あるんだってば！」

姉妹のきずなとでもいおうか、アナがなにもいわなくても、エルサはアナがどれほどクリストフにそばにいてほしいかわかってくれている。

「それに」アナはクリストフをもっとよろこばせたくてこう続けた。「そりにはカップホルダーもついてる。気に入った？」

「気に入ったかって？」クリストフはアナを抱きあげてくるくるとまわした。「もちろんさ！　キスしたい気分だよ」あわててアナをおろし、片手で髪をかきあげる。「あっ、いや、できればだけどね。いいか？　いや、おれはなにをいってるんだ。だから、ええと——うわっ、なんだよ？」

アナはクリストフに顔を近づけて、頬にキスした。「いいに決まってるじゃない！」
クリストフは力強くアナを抱きよせてキスした。それはアナが思いえがいていたとおりのキスだった。アナはクリストフの首に両腕をまわし、キスを返した。

36 アナ＆エルサ

嵐のあとには空が青く晴れわたる。

いよいよアレンデール王国が真に新しいスタートを切る日が来た。だれもが生まれかわった王国を祝う儀式が始まるのを、いまかいまかと待っている。エルサの戴冠式はもちろん、失っていたもうひとりの王女がもどってきたことを祝おうと、王国の民たちが城に押しよせていた。ようやくアナ王女が帰ってきたのだ。大きな悲しみをのりこえたいま、アレンデール王国はよろこびにつつまれ、王国じゅうの旗ざおに、姉妹のシルエットが描かれた新しい旗がはためいていた。

エルサは大聖堂の祭壇に着くと、司教に向き合った。司教がエルサの頭に王冠をのせる。そのとき、アナはエルサのすぐそばにいた。そここそ、アナがいつもいるべき場所だ。

「アレンデールのエルサ女王です！」司教が集まった人びとの前で高らかに宣言した。

笑みを浮かべたエルサの顔は自信にあふれている。両手にそれぞれ王笏*6と宝珠をもってい

るが、もう指がひりひりすることもなかったし、恐れを感じることもなかった。エルサはようやく気づいた。自分の使命は王国の人びとのために力を尽くすことだと。もてる力のすべてをそそぎ、それを果たすつもりだった。

戴冠式のあと、大きなチョコレートファウンテンとりっぱなケーキがならぶ大広間でパーティーが開かれた。おどっている人もいれば、笑っている人もいて、陽気な雰囲気につつまれている。まるで城そのものが、満ち足りたため息をもらしているようだった。長いあいだ城は悲しみにしずんでいたが、いまやっと幸せに満ちあふれた場所になったのだ。

エルサとアナはにぎわう大広間をぬけ出して玄関ホールへ行き、かけなおされたばかりの王家の肖像画を見つめた。そこには国王と王妃とエルサ、そしてアナが描かれている。ようやく本来あるべきすがたにもどったのだ。ルーデンバーグ氏は、城の前庭にある噴水にかざるために、家族四人のブロンズ像を新たにつくる、と早くも宣言していた。

「お父さまとお母さまについて、あたしがまだ知らないことを教えて」アナは腕をエルサの腕にからませながらいった。

アナが毎日こんな質問をするたびに、エルサは大よろこびで答えた。毎晩、どちらかのベッドにすわっては、思いつくかぎりのことを夜が更けるまでいつまでも語り合うのだった。

「アナとわたしに負けないくらい、お父さまもお母さまも、あまいものが大好きだったわ」大広間にもどりながらエルサが答えた。「なかでも大のお気に入りはクルムカーケクッキーよ」

アナがいたずらっぽく笑った。「クルムカーケクッキーを焼いたときのこと、覚えてるよ！ミス・オリーナが焼く前に、エルサがいっつも生地を半分食べちゃうんだよね」

「それはアナでしょう！」といいかえし、エルサは笑った。

「もしかして、お母さまだったりして」アナも声をあげて笑う。

そんなふたりを、クリストフとオラフが大広間の戸口から笑顔で見つめていた。

だれもがパーティーがお開きになってしまうのがなごりおしく、いつまでも楽しんでいたが、やがて、大広間のなかが暑くなってくると、外の新鮮な空気をすいたいと思いはじめた。エルサは涼しくさせてあげようと思いたち、みんなを城の前庭に集めた。

「準備はいい？」エルサはみんなにたずねた。

大きな歓声と拍手がわきおこる。

エルサはもう、魔法のことを、自分をしばりつける足かせのようには感じていなかった。母がいつもいいきかせてくれたように、この魔法はまぎれもない天からの贈り物であり、いまは恐れではなく、よろこびを感じながら使うことができる。

片方の足で地面をタンとふみならすと、前庭にじわじわと氷が広がっていき、スケートリンクができあがった。つぎに両腕をあげると、雪がちらちらと舞いおちてきた。暑い夏の夜に、即席のスケートリンクでパーティーができるなんて最高のプレゼントだ。

人びとがスケートリンクですべりはじめた。エルサが長いあいだ必死にかくしてきた魔法を、いまはみんなが楽しんでくれている。アナが足をよろよろとすべらせながらエルサのとなりに来て晴れやかな笑顔を向けた。

「とっても楽しい。エルサといっしょにいられてほんとうに幸せ」

エルサはアナの腕をぎゅっとにぎった。「これからはずっといっしょよ」そう力強くいって、アナの靴をおしゃれなスケート靴に変えた。

「わあ、エルサ、すごくすてきだけど、あたしがスケートできないの知ってるでしょ」

エルサはアナの両手を引きながら、すいすいとすべりはじめた。「だいじょうぶ！」大きな声で妹をはげます。「アナならできるわ！」ふたりで前庭の噴水のまわりをすべりながら声をあげて笑う。

「すべれた、すべれた！　やっぱりだめ、転んじゃう！」アナは笑顔で足を動かしつづける。

「どけどけ！　トナカイが通るぞ！」スヴェンといっしょにそばをすべってきたクリストフが

いった。

「ねえ、みんな！」オラフも仲間に加わった。「すべってぇ、まわるぅ～！　すべってぇ、まわるぅ～！」エルサのマントをつかみながらアナにアドバイスして、リンクをくるくるとまわりつづける。

人びとを見つめるエルサの心は満たされ、頭はすっきりと冴えていた。アレンデール王国の民たちは幸せそうに笑っている。そして、すぐそばには、ようやくもどってきて、わたしのことを心から大切に思ってくれている妹がいる。これですべてよかったんだわ。エルサはやさしくほほえんだ。

＊6　王権の表象として王・女王が儀式でもつ笏

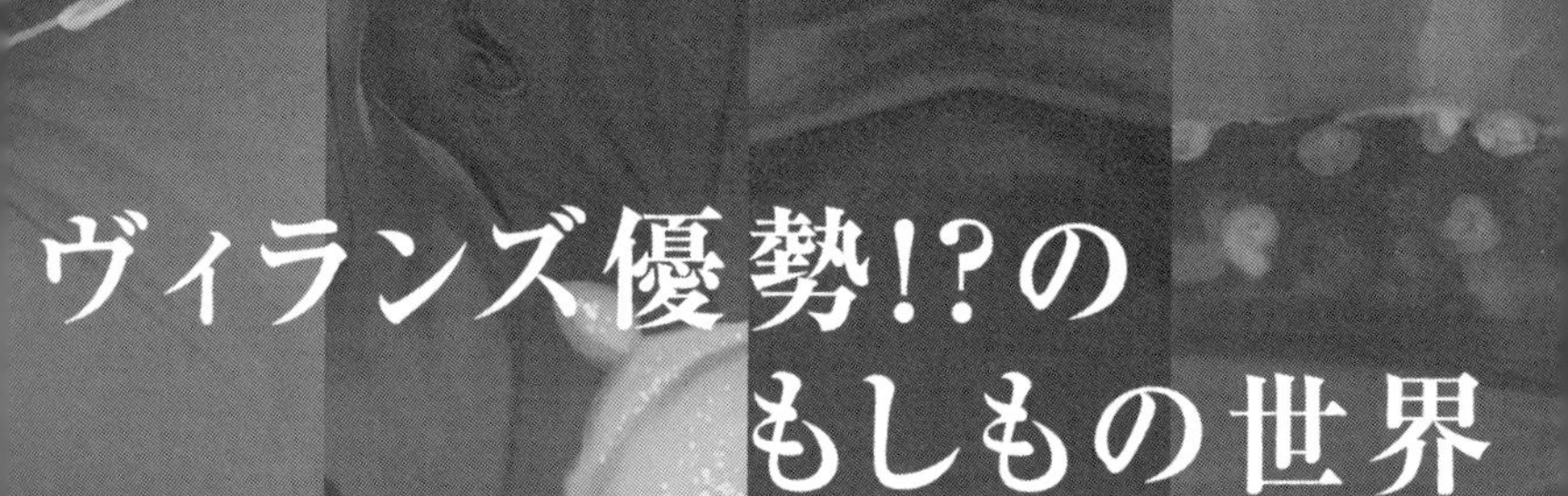

ミラー、ミラー

あの『白雪姫』の“もしも”の物語

© Disney

著　ジェン・カロニータ／訳　池本　尚美
定価(税込)／各1,100円
判型／四六判　本文／上巻224ページ・下巻224ページ

ソー・ディス・イズ・ラブ

あの『シンデレラ』の“もしも”の物語

© Disney

著　エリザベス・リム／訳　笹山　裕子
定価(税込)/各1,210円
判型／四六判　本文／上巻・下巻 各240ページ

「ハイ・リパブリック」とは？

スカイウォーカー・サーガ（エピソード1〜9）からさかのぼること200年――それはハイ・リパブリックと呼ばれる銀河共和国がもっとも繁栄した時代、そして、ジェダイにとっての黄金期でした。

「ハイ・リパブリック」シリーズのヤングアダルト小説は、おもに10代のジェダイや登場人物を中心に、彼らが戦いの中で直面する問題に悩み、迷いながら成長していく青春群像劇です。

魅力的で共感できる等身大のジェダイたちがたくさん登場する新世代向けの新たな「スター・ウォーズ」をお楽しみください。

ディズニー ツイステッドテール

ゆがめられた世界
レット・イット・ゴー　下

2024年6月4日　第1刷発行

著　　ジェン・カロニータ
訳　　池本　尚美
発行人　土屋　徹
編集人　芳賀　靖彦
発行所　株式会社Gakken
〒141-8416　東京都品川区西五反田2-11-8
印刷所　中央精版印刷株式会社

絵　水溜鳥
ブックデザイン　LYCANTHROPE Design Lab.　武本　勝利
DTP　Tokyo Immigrants Design　宮永　真之
編集協力　芳賀　真美

【お客様へ】
この本に関する各種お問い合わせ先
●本の内容については、下記サイトのお問い合わせフォームよりお願いいたします。
https://www.corp-gakken.co.jp/contact/
●在庫については　Tel 03-6431-1197（販売部）
●不良品（落丁、乱丁）については　Tel 0570-000577
学研業務センター　〒354-0045　埼玉県入間郡三芳町上富279-1
●上記以外のお問い合わせは　Tel 0570-056-710（学研グループ総合案内）

◎学研グループの書籍・雑誌についての新刊情報・詳細情報は、下記をご覧ください。
学研出版サイト　https://hon.gakken.jp/